D1495495

# Le retour turbulent de Dieu

Sami Aoun

# LE RETOUR TURBULENT DE DIEU

*Politique, religion et laïcité*

MÉDIASPAUL

*Médiaspaul reconnaît l'aide financière du Gouvernement du Canada par l'entremise du Fonds du livre du Canada (FLC), du Conseil des Arts du Canada et de la Société de développement des entreprises culturelles du Québec (SODEC) pour ses activités d'édition.*
*Cet ouvrage a été publié grâce à une subvention de l'Université de Sherbrooke.*

 **Conseil des Arts du Canada** **Canada Council for the Arts**  Patrimoine canadien Canadian Heritage *Société de développement des entreprises culturelles* Québec ✦✦

**Catalogage avant publication de Bibliothèque et Archives nationales du Québec et Bibliothèque et Archives Canada**

Aoun, Sami

Le retour turbulent de Dieu : politique, religion et laïcité

Comprend des réf. bibliogr.

ISBN 978-2-89420-859-5

1. Religion et politique. 2. Laïcité. 3. Pluralisme religieux. 4. Religions – Relations. 5. Religion et politique – Québec (Province). I. Titre.

BL65.P7A68 2011                     201'.72                     C2011-940130-4

Composition et mise en page : *Médiaspaul*

Maquette de la couverture : *Fabienne Prieur*

Illustration de la couverture : © *Ciric, Bigstock*

ISBN 978-2-89420-859-5

Dépôt légal — 1ᵉʳ trimestre 2011
Bibliothèque et Archives nationales du Québec
Bibliothèque et Archives Canada

© 2011    Médiaspaul
3965, boul. Henri-Bourassa Est
Montréal, QC, H1H 1L1 (Canada)
www.mediaspaul.qc.ca
mediaspaul@mediaspaul.qc.ca

Médiaspaul
48, rue du Four
75006 Paris (France)
distribution@mediaspaul.fr

*À Norman et Suzie*
*pour leur foi et leur amour inconditionnel.*

# Sigles utilisés

| | |
|---|---|
| ADQ | Action démocratique du Québec. |
| AQECR | Association québécoise en éthique et culture religieuse. |
| BJP | Parti du peuple indien. |
| CAR | Comité sur les affaires religieuses. |
| CLÉ | Coalition pour la liberté en éducation. |
| CRIF | Conseil représentatif des institutions juives de France. |
| CSU | Union chrétienne-sociale, en français. |
| CUA | Catholic University of America. |
| FFQ | Fédération des femmes du Québec. |
| MAILF | Moro Islamic Liberation Front (île de Mindanao aux Philippines). |
| MLQ | Mouvement laïque québécois. |
| OCI | Organisation de la conférence islamique. |
| ONG | Organisation non gouvernementale. |
| SAR | Secrétariat aux affaires religieuses. |

# INTRODUCTION

Plusieurs décennies de laïcité n'ont pas réussi à évacuer la religion de la réalité sociale, culturelle et politique dans les démocraties occidentales. Il y a à la fois un retour et un recours à la religion dans le domaine politique et, comme le dit Jean Delumeau, « Dieu, autrefois moins vivant qu'on ne l'a cru, est aujourd'hui moins mort qu'on ne le dit[1] ». En effet, plusieurs partis politiques religieux européens (Parti populaire européen, Parti républicain chrétien, Parti chrétien-social, Parti chrétien-social suisse, Partis chrétiens en Russie) ont réussi à attirer plusieurs partisans grâce à leurs discours puisés dans l'eschatologie et l'éthique chrétiennes. Le discours religieux aux États-Unis, pourtant un État laïque, est très présent dans les cercles politiques les plus influents. L'exemple de l'investiture du président américain, qui se passe dans une atmosphère de prière et de louanges à Dieu, est frappant. De même, les discours du président français Nicolas Sarkozy sur les religions, entre autres celui du 20 décembre 2007 au palais du Latran à Rome, celui du 16 janvier 2008 à Riyad en Arabie saoudite, et celui du 13 février au dîner

---

[1] Jean Delumeau, *Le christianisme va-t-il mourir ?*, Paris, Hachette, 1977, p. 207.

du Conseil représentatif des institutions juives de France (CRIF) à Paris. Depuis la création d'Israël, la querelle entre juifs laïques et juifs religieux est de plus en plus mise en évidence. Il n'est pas étonnant de voir que le religieux prend de l'importance en *terre promise*, à un point tel qu'un ministre israélien[2] est allé jusqu'à évoquer la nécessité d'imposer aux citoyens d'Israël les lois de la Torah au lieu de la loi israélienne. Une telle démarche est certainement bien appuyée par le courant religieux, particulièrement par les deux grands rabbins d'Israël : l'ashkénaze Yona Metzger et le séfarade Ovadia Yossef, deux personnages parmi les plus influents de la politique interne israélienne touchant notamment aux questions des colonies de Jérusalem et de la Cisjordanie. D'ailleurs, après l'assaut israélien contre la flottille de Liberté organisée par des associations (turque et européennes) le 30 mai 2010, on a noté le retour en force de la rhétorique de la guerre religieuse entre juifs et musulmans. En Égypte, les prélats de l'Église copte contestent des directives gouvernementales permettant un second mariage des divorcés. Toujours en Égypte, les tribunaux ont rejeté des mariages entre musulmans et israéliennes !

Plusieurs exemples montrent que la religion est restée fort présente en dépit de l'acharnement de la pensée laïque à la déloger et à minimiser son rôle comme système fournisseur de normes et d'idéaux, ces derniers étant largement sollicités et utiles à la société. Sous le titre *What Alabamians and Iranians Have in Common*,

---

[2] Il s'agit du ministre israélien actuel de la justice Ya'akov Ne'eman.

l'Institut de sondage Gallup a publié, en février 2009, une importante enquête sur le degré de religiosité dans 143 pays pendant trois ans. Mille personnes dans chacun des pays ont répondu à la question : « La religion tient-elle une place importante dans votre vie quotidienne ? » En moyenne, dans plus de 70 pays, plus de 82% des habitants répondent par l'affirmative. Les pays les « plus religieux » restent les pays musulmans, tandis que les « moins religieux » sont ceux d'Europe du Nord, alors que les États-Unis et le Canada sont classés comme étant « modérés » selon la religiosité de leurs habitants.

Un autre sondage, réalisé au Québec par *Présence magazine* dans son numéro de mars-avril 2010[3], effectué au mois de janvier 2010 sur 950 répondants, les répartit principalement comme suit : Catholique (romain) 71%, Aucune / Athée / Agnostique 19%, Chrétienne orthodoxe (y compris grecque orthodoxe, ukrainienne orthodoxe) 2%, Musulmane 2%, Chrétienne (y compris apostolique, Born-Again, évangélique) 1%.

D'après le sondage, 30% se disent pratiquants et 74% disent croire en Dieu. Alors que 20% déclarent mal connaître Jésus, 21% ne sont pas impressionnés par son personnage, et 37% le considèrent comme le fils de Dieu.

Les événements de l'été 2010 aux États-Unis confirment que l'islam est devenu un sujet de débat

---

[3] Le sondage « Jésus dans le psychisme des Québécois » est accessible sur le site du Centre culturel chrétien de Montréal : http://centreculturelchretiendemontreal.org/spiritualite/Sondage_Mars_2010.pdf (page consultée en décembre 2010, comme toutes les pages Web répertoriées dans les notes qui suivent, sauf indication contraire).

houleux dans la société américaine fondée pourtant sur l'inviolabilité des libertés religieuses. De la mosquée de Ground Zero aux exemplaires du Coran à brûler, en passant par la vraie affiliation religieuse du président Obama, l'islam ne cesse de susciter la polémique. En effet, depuis le projet récent de construction d'un centre islamique à quelques dizaines de mètres de Ground Zero, un site dorénavant considéré comme marqueur identitaire saillant pour des élites américaines à cause des attentats terroristes islamistes du 11 septembre 2001, le politique a pris le dessus et les provocations ainsi que les protestations ont débordé dans l'espace public. Tandis que certains pensent que les musulmans ont le droit de construire ce centre près de Ground Zero, tel le maire démocrate de New York, Michael Bloomberg – et même le président Barack Obama, avant de se rétracter –, d'autres s'y opposent, comme le Parti républicain et une grande partie des familles de victimes, ainsi que plusieurs musulmans qui le jugent inutilement provocateur ou même méprisant à l'égard de la douleur des proches des victimes des attentats tristement célèbres. Une chose est certaine : la question de la religion est plus facile à politiser et est toujours capable de mobiliser les foules, défenseurs et opposants.

En fait, l'islam est mal perçu par la population américaine même s'il reste méconnu. En effet, d'après un sondage effectué par le *Time Magazine*[4], auprès

---

[4] Les résultats du sondage sont disponibles sur le site du *Time Magazine* : http://www.time.com/time/politics/article/0,8599,2011680-1,00.html.

d'environ 1000 personnes, sur l'état de la politique et la religion aux États-Unis, 46% des répondants estiment que la religion musulmane est plus susceptible que les autres religions d'encourager la violence contre les non-croyants. Par ailleurs, 62% admettent ne pas connaître personnellement d'Américains adeptes de la religion musulmane et 25% pensent que la plupart des musulmans aux États-Unis sont des Américains patriotes qui croient dans les valeurs américaines. La polémique a pris une autre tournure lorsqu'une église baptiste de Floride, appelée Dove World Outreach Center, a voulu organiser une « journée internationale pour brûler le Coran » à la date anniversaire des attentats du 11 septembre 2001. L'église en question a énuméré une dizaine de raisons pour poser un tel geste[5] : elle s'appuyait notamment sur le fait que le Coran enseigne que Jésus Christ n'est pas le fils de Dieu et qu'il n'a pas été crucifié ; elle prétextait ensuite que l'enseignement du Coran est démoniaque, que la loi islamique est de nature totalitaire, que l'islam n'est pas compatible avec la démocratie et les droits de la personne, que l'apostasie est un crime punissable de mort en islam et que l'islam est une arme de l'impérialisme arabe et du colonialisme islamique.

De plus, plusieurs écrits récents ont essayé de démontrer la primauté des valeurs religieuses sur les valeurs modernes ainsi que leur capacité à mobiliser les êtres humains appartenant à des aires ethnoculturelles prêtes

---

[5] Fran INGRAM, *Ten Reasons to Burn a Koran, sur le site officiel de l'église* : http://www.doveworld.org/blog/ten-reasons-to-burn-a-koran, 22 août 2010.

à se positionner religieusement. C'est ce phénomène que Samuel Huntington appelle « le choc des civilisations ». Dans ses écrits, il classifie des civilisations présentes et rivales du monde actuel d'après un critère religieux. Est-ce un retour à la tradition sacrale ou religieuse, situation que les théoriciens de la modernisation ou de la sécularisation des années 1950 et 1960 n'ont pas su prévoir ? Ou au contraire, la religion n'a-t-elle, à plusieurs égards, jamais quitté la société occidentale ? Certes, elle a été évacuée de la sphère publique[6], mais elle est toujours restée culturellement omniprésente[7].

---

[6] On emprunte ici la définition retenue par Jürgen Habermas et Seyla Benhabib qui définissent la sphère publique comme « l'espace où se déploient les diverses formes d'associations volontaires qui composent la société civile dans les États démocratiques modernes ». Pour plus de détails, voir Solange LEFEBVRE, « La religion dans la sphère publique, entre reconnaissance et marginalisation », dans Solange LEFEBVRE (dir.), *La religion dans la sphère publique*, Montréal, Presses de l'Université de Montréal, 2005, p. 5-10.

[7] À cet égard, le cas du Québec est assez éloquent quant à la relation entretenue avec le catholicisme. Voir à ce sujet l'intéressante étude sur les pratiques socioreligieuses des catholiques au Québec entre 1970 et 2006 de E.-Martin MEUNIER, Jean-François LANIEL et Jean-Christophe DEMERS, « Permanence et recomposition de la "religion culturelle". Aperçu socio-historique du catholicisme québécois (1970-2006) », dans Robert MAGER et Serge CANTIN (dir.), *Modernité et religion au Québec. Où en sommes-nous ?*, Québec, Presses de l'Université Laval, 2010, p. 79-168. L'étude soutient l'idée du catholicisme culturel dans la Belle Province, qui désigne la permanence des structures symboliques des institutions religieuses, mais en tant que « ressource identitaire, comme référence éthique », selon les termes de Danièle Hervieu-Léger citée par l'étude. Voir Robert MAGER et Serge CANTIN, (dir.), *Modernité et religion au Québec. Où en sommes-nous ?*, p. 81.

Sans que Dieu se manifeste publiquement, en tant que source de jurisprudence ou de légitimité politique, il provoque une foire d'empoigne devant l'empire élargi de la raison instrumentale qui, selon Charles Taylor, est une des causes du malaise d'une société occidentale dont l'ordre social ne repose plus sur la volonté divine. L'affrontement entre le sacré et le profane a même été considéré comme révolu, voire archaïque par la modernité occidentale. Mais en 2006, le débat houleux autour des caricatures du prophète de l'islam a révélé un choc des priorités entre les modernistes laïques et les traditionnalistes islamistes. Certainement, la séparation entre les sphères culturelles et religieuses qui a suivi l'adoption de la laïcité, au cours d'un processus historique auquel une partie de la population occidentale actuelle de foi musulmane n'a pas participé, explique en bonne partie la controverse. Mohamed Arkoun est perspicace à ce sujet : « Si les musulmans avaient pu participer à cette culture laïque, à la séparation des instances du politique et du religieux, ils ne réagiraient pas avec cette violence et ne se serviraient pas de la référence religieuse pour faire de la politique[8]. »

C'est ainsi que les expériences religieuses sont vécues d'une façon individuelle, sans cesser d'être un marqueur identitaire, surtout devant la présence d'un Autre culturellement et religieusement différent, ce qui a toujours été le cas lors de vagues d'immigration dans les pays occidentaux de culture judéo-chrétienne. En

---

[8] « Entretien avec Mohammed Arkoun », *Le Soir*, http://archives.lesoir.be/, 4 février 2006, p. 4.

15

effet, l'immigration a introduit de nouvelles religions et conceptions de la vie dans la société occidentale : islam, bouddhisme, hindouisme, et aussi d'autres ethnies et langues. Le Québec n'échappe pas au phénomène et l'obligation de répondre au défi est incontournable.

Depuis sa Révolution tranquille en 1961, la Belle Province a également connu plusieurs projets éducationnels et politiques prenant position au sujet de la religion. Par exemple, depuis le rapport Parent (du nom d'un prélat, Mgr Alphonse-Marie Parent) publié en 1963 et 1964 et qui a retiré l'éducation des mains de l'Église catholique, la religion a gardé un œil attentif sur l'éducation du Québec. Le catholicisme et le protestantisme sont restés les deux principaux courants du christianisme pourvoyeurs d'une certaine morale dans la société québécoise, à l'école et au foyer, pendant des décennies. De même, en 1997, Stéphane Dion, alors président du Conseil privé et ministre des Affaires intergouvernementales, pilote la réforme constitutionnelle qui a permis de déconfessionnaliser les commissions scolaires du Québec. Toutefois, avec la venue massive d'immigrants de diverses confessions, issus de pays musulmans appartenant à différentes branches musulmanes, soit sunnites, chiites, ismaéliens, druzes, ainsi qu'avec l'arrivée de chrétiens de rites orientaux et d'autres issus de l'Inde (hindous, sikhs et bouddhistes), la réflexion québécoise sur la religion à l'école et sur la place publique a pris de l'ampleur avec des nouveaux paramètres à considérer.

La rentrée scolaire 2008 a donné le coup d'envoi au programme d'éthique et de culture religieuse dans les écoles québécoises. Ce programme, qui se situe dans les jalons du rapport de la Commission Bouchard-Taylor, pose comme objectifs pour les élèves du Québec l'apprentissage du dialogue avec *l'autre* dans le respect de sa confessionnalité différente, la compréhension du phénomène religieux et la réflexion sur la question de l'éthique, sans qu'elle soit essentiellement religieuse. Une éthique non religieuse ou laïque est fondée sur plusieurs valeurs : la liberté de conscience et son corollaire, la liberté d'expression, la morale laïque (qui se fonde sur le besoin de vivre avec les autres sans repli ni exclusivisme tout en faisant la promotion de la dignité individuelle), la tolérance réciproque, la résistance à toute forme de pensée unique et le refus de toute forme de racisme ethnique, qu'il soit religieux, social ou culturel. Cette forme d'éthique est prônée par les mouvements laïques pour mettre en évidence que *vivre éthiquement* n'est pas l'apanage des religions et de leurs morales. Il faut noter que ce programme unique est propre au Québec. Par exemple, en France où la laïcité est une idéologie officielle de la République depuis 1905, l'idéal éthique dans les écoles provient essentiellement de la philosophie des Lumières, des principes de la Révolution française et de la Déclaration des droits de l'homme et du citoyen de 1789, dont l'universalisme révolutionnaire renoue avec les notions de la Liberté, de l'Égalité et de la Fraternité. Aux États-Unis, où une religion universelle ou déiste est en vigueur dans les discours des élites et des officiels, l'enseignement de la religion demeure libre et dépend de la loi de l'offre et de la demande. C'est pourquoi un tel programme dans les écoles québécoises reste audacieux, répondant à un choix d'un État plutôt laïque, ou pour le moins areligieux. On ne peut, en dépit de l'optimisme des uns et du pessimisme des autres, attester formellement de sa réussite ou de son échec avant les premières années de son expérimentation.

Le but de cet ouvrage est de brosser un tableau de la situation internationale, avec une attention particulière à ses résonances au Québec. Nous analyserons d'abord les enjeux et les paradoxes issus des liens entre le religieux et le politique en Occident et en Orient. Nous nous pencherons ensuite sur l'idéologisation religieuse des conflits, la religion étant de plus en plus prise en considération dans la compréhension des événements, des changements et des bouleversements géopolitiques survenus sur la scène internationale. Nous examinerons l'état actuel du dialogue interreligieux au sein de la modernité en soulignant ses mutations sous la pression de la démocratie et du libéralisme. Nous aborderons enfin le débat sur la religion, la laïcité et l'éducation au Québec, particulièrement le virage engagé par le projet de loi 94 sur les demandes d'accommodement dans l'administration gouvernementale et dans certains établissements. Nous essaierons ainsi d'élaborer une vision cohérente du vivre en commun dans un Québec devenu, depuis quelques années, ethniquement et religieusement pluriel.

# 1

# LE RELIGIEUX :
# UN RETOUR EN OCCIDENT
# ET UNE PERSISTANCE EN ORIENT

Les difficultés liées à la place du religieux dans l'espace public ne sont pas du même ordre en Occident et en Orient. Si en Occident la rationalité règne et gère déjà l'espace politique, l'Orient (spécialement l'espace musulman, qu'on va prendre comme exemple), est toujours à la recherche de sa « Raison moderne », à partir de sa tradition religieuse et de sa spécificité culturelle.

## L'Occident perplexe : de nouvelles ambiguïtés entre religion et politique

Comment comprendre le phénomène religieux et ses différents discours en Occident ? Puisque certaines civilisations, comme l'islam ou l'hindouisme, ne posent pas la question de la religion en termes de sortie ou de désenchantement, assistons-nous à un désenchantement ou un ré-enchantement du monde « occidental » ?

Même si les cultures occidentales subissent une certaine sécularisation, c'est-à-dire qu'il y a retrait du pouvoir interprétatif religieux des phénomènes de la nature, il faut préciser que la religion y est toujours restée un vecteur identitaire important, attestant ainsi des limites de l'universalisation du modèle occidental de la sortie de la religion de l'espace public. Ou, comme le note Louis Rousseau, « il s'agirait moins d'une *sortie de la religion*, comme le proposaient les théories de la sécularisation, que d'une *entrée sélective* dans l'univers religieux[1] ». Peut-on réussir le pari de cette entrée sélective en gardant l'espace étatique et public *neutre* (au sens du terme latin *neuter* : ni l'un ni l'autre) religieusement ?

On a vu que pour Charles Taylor, le désintéressement de la religion ou le désenchantement du monde constitue un des malaises de la société occidentale[2]. Il a récemment appelé à une redécouverte de la spiritualité[3] au sein du monde occidental. D'ailleurs, dans les pays de tradition catholique comme la France, la Belgique, l'Espagne, l'Autriche, l'Italie, le Portugal et l'Irlande, la résistance à la sécularisation est encore manifeste. C'est du moins ce que conclut Pierre Bréchon sur la base de plusieurs statistiques sur lesquelles il s'appuie dans un article sur

---

[1] Louis ROUSSEAU, « Grandeur et déclin des Églises au Québec », *Cités*, vol. 3, n° 23, 2005, p. 131.

[2] Charles TAYLOR, *Grandeur et misère de la modernité*, Montréal, Bellarmin, 1992, p. 12-24.

[3] Charles TAYLOR, *A Secular Age*, Belknap/Harvard University Press, 2007.

la religiosité eu Europe[4]. Il en va de même pour la Grèce orthodoxe où la religion dans sa forme traditionnelle reste très vivace[5]. Même l'Allemagne, connue pour sa neutralité face aux convictions religieuses de ses citoyens, n'est pas exclue du rapprochement entre le religieux et le politique. D'ailleurs, comme le note Klaus Nientiedt, cette neutralité « n'exclut pas que l'État travaille étroitement avec les Églises et d'autres communautés idéologiques[6] ». Aux États-Unis, dissocier le politique du religieux s'est avéré vain : les discours présidentiels fortement teintés par la religiosité font de sérieuses brèches dans la laïcité constitutionnelle. Madeleine Albright explique que toute tentative de faire sortir la religion de la vie politique dans son pays est vouée à l'échec[7].

Est-ce une crise du rationalisme dans l'espace occidental ou l'expression d'un besoin humain, celui d'une foi en un Être Suprême qu'on retrouve dans les sociétés archaïques et les religions monothéistes ? Comme l'a noté Reginald Bibby dans les années 1980, il est possible que l'on assiste à la recherche d'une religion à la carte[8] en dehors des institutions religieuses traditionnelles,

---

[4] Pierre Bréchon, « La religiosité des Européens : diversité et tendances communes », *Politique européenne*, vol. 1, n° 24, 2008, p. 21-41.

[5] *Ibid.*, p. 25.

[6] Klaus Nientiedt, « Les relations Églises/État en Allemagne. Une séparation "boiteuse" », *Études*, tome 409/5, novembre 2008, p. 441.

[7] Madeleine Albright, *Dieu, l'Amérique et le Monde*, Paris, Salvator, 2008.

[8] Reginald Bibby, *La religion à la carte. Pauvreté et potentiel de la religion au Canada*, Montréal, Fides, 1988.

une religion désidéologisée et dépolitisée qui servirait le but éthique et éducationnel, sans pour autant que cette religion soit syncrétique ou superficielle.

Car si une certaine résistance à la sécularisation se fait sentir, le principe de laïcité continue à être affirmé avec force. À Paris, la Commission de réflexion sur l'application du principe de laïcité dans la République, ou rapport Stasi, présenté en décembre 2003 au président français Jacques Chirac, aborde la laïcité comme un principe universel, une valeur républicaine et un principe juridique majeur. Selon la commission présidée par le médiateur de la République de l'époque, Bernard Stasi, la laïcité est garante d'un équilibre qu'il serait « dangereux de briser ». Cette laïcité « doit continuer à faire respecter la liberté de conscience et l'égalité de toutes et de tous » à travers son réapprentissage, sans toutefois omettre le respect de la diversité.

En ce sens, la laïcité apparaît comme une technique de gestion de la diversité religieuse et de neutralité de l'État, ainsi qu'une valeur ou un critère de mesure du respect de la liberté de conscience. Elle trouve son origine dans la loi française de 1905 sur la séparation des Églises et de l'État, vigoureusement condamnée par le pape Pie X, qui avait instauré un esprit de défiance entre le religieux et la sphère publique. Les relations entre la France et le Saint-Siège allaient même en être rompues et il fallut attendre 1923 pour remarquer un « rapprochement » sous le pape Pie XI. La papauté a difficilement reconnu la liberté de conscience, se fondant sur le principe de l'autonomie de la personne humaine et son droit à la vie privée, ce qui implique une reconnaissance de l'égalité entre croyants et non-croyants ainsi que la nécessité d'une loi garante des intérêts communs. Le principe de la neutralité de l'État et de son autonomie l'a emporté sur la raison religieuse : la laïcité n'est plus considérée comme une mise au pas de la religion, mais plutôt comme une certaine forme de fin ou de dépassement de la polarisation entre raison et religion, entre État et Église, entre loi divine et loi positive, entre droits de Dieu et droits de la personne.

*De la laïcité dans différents pays*

Il n'est pas faux de dire que le débat sur la laïcité est essentiellement français. Le terme de *laïcité* même renvoie à l'histoire des idées de la Révolution française et aux différentes républiques qui se sont suivies en France. L'article I de la Constitution française stipule clairement que « la France est une République indivisible, laïque, démocratique et sociale », alors que la Constitution américaine, par exemple, ne mentionne pas expressément le mot « laïcité » ou « sécularisme ».

Toutefois, le premier amendement stipule que « le Congrès ne fera aucune loi qui touche l'établissement ou interdise le libre exercice d'une religion, ni qui restreigne la liberté de la parole ou de la presse, ou le droit qu'a le peuple de s'assembler paisiblement ». L'*establishment clause* du premier amendement, selon laquelle l'État ne peut établir une religion, est la base de la laïcité américaine. Ainsi, l'État ne peut favoriser une religion, il est garant de la liberté de culte, mais le discours politique américain, sous la pesanteur de la guerre froide avec le communisme, est loin de mettre en évidence une laïcité claire et nette. Le *God Bless America*, le *One Nation Under God* et le *In God we Trust*, ou même le *With God on our side* du chanteur Bob Dylan, sont des références à Dieu qui barrent nécessairement la route aux non-croyants. Comme le note Louis Balthazar : « Dans cette société indubitablement laïque, on fait constamment appel aux valeurs religieuses pour justifier des décisions politiques[9] », mais ces valeurs religieuses sont celles des WASP (White Anglo-Saxon Protestant), représentants de *l'âme religieuse américaine*, ce qui veut dire que les autres religions ainsi que les athées sont encore considérés comme étrangers à la société américaine. D'ailleurs, une étude de l'Université du Minnesota montre que les athées, les musulmans, les homosexuels, les hispaniques et autres minorités, sont mal vus par la majorité américaine[10].

Quant à la constitution canadienne, à laquelle est soumis le Québec, son texte ne fait aucune mention de la laïcité, une absence problématique qui ouvre la voie aux revendications religieuses. C'est pourquoi tout débat sur la laïcité, ouverte ou rigide, ne peut ignorer la base

---

[9] Louis BALTHAZAR, « Les fondements de la culture politique », dans *Le système politique américain*, Les Presses de l'Université de Montréal, 2001, p. 13.

[10] Voir l'article d'Austin CLINE, University of Minnesota, « Study on American Attitudes Towards Atheists and Atheism », accessible à http://atheism.about.com/od/atheistbigotryprejudice/a/AtheitsHated.htm.

constitutionnelle qui, jusque-là, reste silencieuse, sauf peut-être dans le cas d'une *constitution québécoise* qui pourrait pallier ce silence constitutionnel sur cette notion. Ce qu'on peut retenir dans cette *laïcité canadienne*, c'est l'indifférence de l'État canadien aux religions existantes.

La constitution du Japon, quant à elle, s'est manifestement occidentalisée. Dans son article 20, elle stipule que « la liberté de religion est garantie à tous. Aucune organisation religieuse ne peut recevoir de privilèges quelconques de l'État, pas plus qu'elle ne peut exercer une autorité politique. Nul ne peut être contraint de prendre part à un acte, service, rite ou cérémonial religieux ». Certainement, la constitution japonaise a été imposée par la défaite devant les Américains en 1945, ce qui a évincé le shintoïsme de l'État, fondateur du nationalisme et du militarisme japonais, de la sphère publique, et qui a même mené à l'humanisation de l'empereur (Tennö). C'est ainsi que selon l'article 20, le politique et le religieux sont constitutionnellement séparés, même si l'éthique shintoïque persiste encore dans la sphère sociétale.

En Inde cohabitent plusieurs religions : hindouisme, islam, christianisme, sikhisme, bouddhisme et jaïnisme. Le préambule de la Constitution indienne stipule que l'Inde est une république démocratique, socialiste, souveraine et séculière, même si l'hindouisme reste la religion largement majoritaire et si plusieurs activistes hindous veulent en faire une religion d'État. En politique, l'hindouisme se mélange au nationalisme hindou chez certains partis comme le *Bharatiya Janata Party*

(BJP ou Parti du peuple indien), soutenu par plusieurs organisations religieuses et nationalistes hindoues. Ce *secularism* en Inde ne signifie pas la séparation radicale du politique et du religieux, mais il garde l'État à une distance égale de toutes les religions et les croyances. Toujours est-il que l'article 25 postule la liberté de conscience et de profession libérale, la pratique de la religion et le prosélytisme. De cette façon, les adeptes des différentes religions peuvent construire leurs propres écoles et propager leurs religions. Cette protection des minorités religieuses, par ce *secularism* indien, constitue une entrave principale à l'élaboration d'un code civil unique, esquissé dans l'article 44 de la Constitution par ce *secularism* même. Du coup, chaque minorité confessionnelle obéit aux coutumes et aux règles issues de sa religion. Le *communalism* cohabite donc avec le *secularism* !

La Turquie moderne a été modelée par la fascination de Mustafa Kemal Atatürk devant la montée triomphale de l'Occident, fascination qui l'a mené à imposer une laïcisation étatique. La République turque de 1923 était certes démocratique, mais elle était aussi unitaire, ce qui sous-entend qu'aucun autre parti politique, à l'exception de celui d'Atatürk, n'était autorisé. Ainsi, il serait un peu rapide de comparer la République démocratique turque aux autres démocraties occidentales, surtout quand on connaît le rôle très important qu'y joue l'armée. Ceci étant dit, comparativement aux pays voisins, la Turquie est depuis longtemps déjà un pays proche de l'Occident, et les élites urbaines et bourgeoises étaient animées par l'ambition de s'occidentaliser et de se démocratiser. Dans cette perspective, l'État turc est construit sans étouffer la société civile, à l'instar des nationalismes autoritaires des pays avoisinants. Cette laïcité *atatürkiste*, encadrée par un régime démocratique multipartite, a permis l'émergence d'une force politique islamiste non violente et capable d'accéder au pouvoir à travers les élections, et qui est devenue une force majeure grâce à la démocratie turque, un cas presque unique dans l'espace musulman.

## *Laïcité et laïcisme*

Marcel Gauchet[11] souligne que si la laïcité de la France, son pays d'origine, est intimement liée à l'histoire de France, elle s'inscrit aussi fondamentalement dans le droit. C'est dans cette perspective qu'il faut comprendre le problème posé actuellement, particulièrement par l'islam à la France laïque, car cette religion était absente du processus d'élaboration de la laïcité en France au XIX$^e$ siècle et au moment de la loi de 1905, comme on peut le voir dans la citation d'Arkoun[12]. Le problème vient de l'amalgame entre laïcité et laïcisme. En effet, la séparation de l'État et de l'Église ou de la religion ne signifie pas forcément le confinement de cette dernière dans l'espace privé et sa disparition totale de la sphère publique, comme le prône le laïcisme. Le cas échéant,

---

[11] Voir Marcel GAUCHET, *La religion dans la démocratie*, Paris, Gallimard, 1998, p. 41-82.

[12] « Entretien avec Mohammed Arkoun », *Le Soir*, http://archives.lesoir.be/, 4 février 2006, p. 4.

un autre dilemme va se présenter : le risque est de priver des citoyens de l'expression de leurs croyances religieuses dans le respect de la liberté des autres, comme le stipule la Déclaration universelle des droits de l'homme de 1948[13]. C'est pourquoi tout le défi reste de sauvegarder la laïcité, garante de la liberté de culte entre autres, sans tomber dans le laïcisme, à moins qu'il ne s'agisse d'un choix exprimé clairement par la société.

Il est donc important de faire la différence entre la laïcité en tant que gestion technique de la diversité religieuse et confessionnelle et garante de la neutralité de l'État qui accepte la religion, et le laïcisme en tant qu'idéologie dominante et antireligieuse qui l'écarte. Pour sortir de cette impasse et pour encadrer les demandes d'accommodements, qu'ils soient religieux ou areligieux, il faut faire appel à une réglementation de dissuasion (par exemple dans le cas d'une femme qui serait battue par son mari pour cause d'adultère) et à l'éducation. Cette dernière devrait inclure l'initiation à la citoyenneté pour dépasser les préjugés et permettre de remettre en question les limites du sacré au sein d'un foyer libéralo-démocratique. Il ne serait ainsi plus politisé ni par les uns, ni par les autres, ce qui amènerait les tenants d'un laïcisme rigide et dogmatique à revoir leurs convictions. Dans ce cas, seule la laïcité qui garantit la liberté d'expression, celle de la

---

[13] L'article 18 de ladite Déclaration stipule que : « Toute personne a droit à la liberté de pensée, de conscience et de religion ; ce droit implique la liberté de changer de religion ou de conviction ainsi que la liberté de manifester sa religion ou sa conviction seule ou en commun, tant en public qu'en privé, par l'enseignement, les pratiques, le culte et l'accomplissement des rites. »

conscience libre permettant de transcender les polémiques entre les protagonistes, entre les religieux et au sein des tendances diverses, se placera sur le piédestal du sacré et ses mécanismes institutionnels démocratiques feront partie intégrante de son ordre. Cette laïcité est aussi garante, grâce à ses mécanismes, de l'évacuation du mépris que portent les intégristes de chaque religion ou croyance envers les autres. Ce mépris est récupéré par ce que d'aucuns, entre autres l'islamologue Bruno Étienne et le journaliste Henri Tincq, appellent le *choc des ignorances*.

Ici, on parle non seulement de la méconnaissance de l'Autre, de ses convictions et de son *sacré*, mais aussi de l'ignorance des gens de leur propre religion ou de leur propre système de normes. Encore une fois, la modernité libérale est la garante de l'espace où peuvent cohabiter toutes ces différences, sans exclusivisme. Encore faut-il accepter son credo sans pour autant essayer de la refaçonner dans sa propre culture. De même, on doit accepter que la Loi passe avant la Foi, sans évacuer toute distance intellectuelle critique face à tous les schèmes de pensée en cohabitation dans l'espace libéralo-démocratique. Il est également essentiel de garder une distance avec des décisions ou directives, politiques ou religieuses, venues ou formulées hors du contexte libéral et démocratique. Par exemple, dans l'affaire des caricatures de Mahomet, le tumulte est venu de ce que des foules se sont laissé manipuler par certains gouvernants des pays musulmans, et parfois par certaines fatwas importées et surtout sollicitées par des représentants des communautés diasporiques.

Dans l'esprit de la laïcité, aucune religion ou idéologie, aucun système de pensée ne serait plus estimable ou plus sacré que les autres. Ce relativisme sera adopté par l'État et devrait être toléré par la société. Tous ces systèmes de valeurs ne sont aucunement sacrés et sont égaux devant le seul *sacré* de la modernité laïque et démocratique. C'est ainsi qu'il faut comprendre la position de la Fédération des femmes du Québec (FFQ) en ce qui concerne les institutions publiques québécoises. La FFQ affirme que l'on devrait permettre à ses usagères et usagers ainsi qu'à son personnel le port de signes religieux, visibles ou non. Elle appuie notamment sa position sur le principe de la laïcité ouverte. Mais en fait, même la laïcité rigide ou à la française pourrait permettre le port des signes religieux dans les institutions publiques québécoises. D'ailleurs, dans la question du foulard en 2004 en France, le Conseil d'État a refusé de considérer les signes religieux comme contraires à la laïcité[14].

Par contre, plusieurs intellectuels français ont refusé l'empiétement des signes religieux (ou d'un repli communautaire selon les termes de Gilles Kepel[15]) dans la sphère publique, appelant ainsi la religion, toute religion, à devenir comme le catholicisme, une « option individuelle et non plus évidence collective[16] ». Dans la même ligne, au Québec, on peut relever l'initiative

---

[14] Voir entre autres COQ, *Laïcité et République. Le lien nécessaire*, Paris, Éditions du Félin, p. 266.

[15] Cité par Guy COQ, *Ibid.*, p. 265.

[16] Danièle HERVIEU-LÉGER, *Vers un nouveau christianisme ? Introduction à la sociologie du catholicisme occidental*, Paris, Cerf, 1986, p. 59.

du Mouvement laïque qui, au nom de plusieurs personnalités féminines dont Djemila Benhabib, auteure de l'ouvrage controversé *Ma vie à contre-Coran*, et Andréa Richard, auteure de *Au-delà de la religion,* a demandé au gouvernement québécois, en mai 2009, l'instauration d'une charte pour la laïcité, dont l'objectif serait de garder la sphère publique québécoise (dont la fonction publique) libre de tout signe religieux ostentatoire (le crucifix, la kippa et le voile). Ces signes religieux sont aussi perçus par plusieurs intellectuels québécois défenseurs de l'interculturalisme, comme un refus des valeurs modernes en vigueur au Québec. À propos du voile islamique, par exemple, Joseph Facal avance que « le port du voile est lui-même un message qui dit : je refuse de me joindre à vous. Il est une façon de nous dire que les valeurs pour lesquelles nos ancêtres ont combattu sont mauvaises et que l'intégriste entend les combattre après que nous lui eussions ouvert notre porte[17] ».

## La spécificité culturelle et les droits de l'homme : le débat intermusulman

Les ambivalences au sein de la culture islamique, particulièrement celles que suscitent ses discours conservateurs dominants face à la modernité, trouvent leur expression dans les différents efforts des intellectuels

---

[17] Joseph FACAL, « L'idéologie multiculturaliste contre la nation québécoise », dans Louis-André RICHARD (dir.), *La nation sans la religion. Le défi des ancrages au Québec*, Québec, Presses de l'Université Laval, 2009, p. 180.

musulmans pour comprendre les divergences entre l'universalisme occidental des droits de la personne et leur corpus religieux. Le cas de l'islam est donc utile pour illustrer la tension entre le relativisme culturel et les droits fondamentaux proposés comme universels. Certaines élites musulmanes considèrent que l'Occident traite leur universalisme religieux comme un particularisme, tout comme eux-mêmes traitent l'universalisme « occidental » comme un particularisme.

Le débat à l'intérieur de la culture musulmane aborde les problèmes les plus préoccupants quant aux droits de la personne, qui sont à la jonction du religieux et du politique. Il porte sur la subordination des droits de l'homme à la charia (la loi islamique) ainsi que sur les droits individuels face à un État penchant vers le despotisme et l'arbitraire et à une société sujette aux excès du communautarisme où la famille, la tribu et le clan ont préséance sur l'individu. Il traite aussi de la question des droits de la majorité et des minorités : ceux d'une majorité musulmane et de minorités non musulmanes (chrétiens, zoroastriens, juifs, mandéens...), mais aussi ceux des musulmans d'une confession majoritaire, ceux d'une confession minoritaire (chiites, druzes, bahaïs, etc.), et ceux des ethnies (kurdes, berbères, etc.).

Du point de vue juridique, il existe plusieurs chartes « islamiques » des droits de l'homme, promulguées à partir des années 1980. La Déclaration universelle des droits de l'homme proposée par le Conseil islamique d'Europe et promulguée le 19 septembre 1981 à Paris, la Déclaration du Caire sur les droits de l'homme en islam (août 1990), la Déclaration des droits de l'homme de l'Organisation de la conférence islamique (OCI) de 1990, et la Déclaration de la Ligue arabe de 1994. Toutes se donnent pour objectif d'améliorer les droits de la personne musulmane, et tentent, avec des difficultés manifestes[18], de concilier les exigences de la spécificité culturelle et les aspects traditionnels de l'identité avec l'universalité des droits de la personne. Ainsi par exemple, dans la Déclaration du Caire sur les droits de l'homme en islam, le préambule affirme que les États membres de l'OCI sont convaincus que les droits de l'homme fondamentaux et les libertés publiques sont des composantes « de la foi en islam ». Ce débat intermusulman fait la preuve que l'islam, foi et culture, n'est pas un bloc invariant, mais qu'au contraire, il interagit avec son temps et les valeurs de l'époque moderne. Jusqu'à quel point réussit-il dans cette aventure d'intérioriser les valeurs de l'État de droit, produit justement par cette démarche occidentale de la séparation de la politique et de la religion et surtout par la privatisation du religieux ?

*Les droits de l'homme en terre d'islam*

La phase de « la mondialisation des droits de l'homme » a commencé au début des années 1990. Le mouvement des droits de l'homme a pris de l'ampleur

---

[18] Voir Sami Aoun, *Aujourd'hui l'islam. Fractures, intégrisme et modernité*, Montréal, Médiaspaul, 2007, p. 91-95.

au fur et à mesure, élargissant la portée des institutions œuvrant dans le domaine des droits de l'homme sur le plan tant national qu'international. C'est ainsi qu'une responsabilité morale a pris forme, notamment en ce qui concerne le droit à la vie et à la sécurité personnelle. D'où l'augmentation des cas d'intervention internationale pour protéger les civils indépendamment de leurs allégeances religieuses en temps de guerres et de conflits.

Dans le monde arabe et musulman, on a assisté à un recul du mouvement, malgré le rôle important joué par le bloc arabe à l'Organisation des Nations unies lors de l'adoption de la Déclaration universelle des droits de l'homme en 1948. En effet, dans de nombreux pays arabes, les droits fondamentaux que la Déclaration protège, sont bafoués. En matière de respect des droits de l'homme, les pays arabes peuvent être répartis en trois catégories, surtout à l'égard des liens entre la citoyenneté et la religion :

Premièrement, plusieurs pays bafouent la Déclaration universelle des droits de l'homme, en particulier le droit à l'égalité, la liberté d'expression, de pensée, de conscience et de religion... Certains de ces États, comme la Mauritanie, n'ont pas ratifié un certain nombre de conventions et traités internationaux se rapportant aux droits de la personne tels que le Pacte international relatif aux droits civils et politiques, adopté à New York en 1966, et ses deux protocoles facultatifs, et aussi la Convention internationale sur la protection des droits de tous les travailleurs migrants et des membres de leur famille, adoptée par l'Assemblée générale des Nations unies en 1990.

La deuxième catégorie manifeste solennellement son respect des droits de l'homme, mais en fait, exerce des actes de répression contre ses citoyens (surtout les opposants politiques et membres des communautés religieuses minoritaires). Ces pays, comme certains pays du Maghreb ou du Golfe, entretiennent des relations avec les puissances mondiales qui les protègent, sans tenir compte des droits les plus élémentaires de leur population.

La troisième catégorie est constituée des pays qui ont leur propre approche des droits de l'homme, différente et singulière. Ces pays, comme l'Arabie saoudite, bannissent les droits politiques, mais en échange essaient de doter leurs citoyens de droits sociaux et économiques. Un chantage, pour *excommunier* l'opposition politique. Pour ces pays, la mondialisation de la notion des droits de l'homme n'est pas acceptée, sous prétexte de spécificité culturelle, sociale et religieuse.

Si la mondialisation a joué un rôle essentiel dans la diffusion de la culture sécularisée des droits de l'homme dans le monde entier, jusqu'à sanctionner des chefs d'État en raison de leur violation des droits de leurs citoyens, son rôle reste minime dans le monde arabe et musulman, où la sphère des droits et libertés, particulièrement ceux se rapportant au champ religieux, se rétrécit. Sur le plan juridique, un grand nombre de pays arabes souffrent d'une carence dans la législation régissant les droits de l'homme fondamentaux, surtout ceux du citoyen, que leurs constitutions incluent dans leurs préambules ou même dans des articles à part. Il suffit de signaler que dans certains pays comme l'Égypte, l'état d'urgence est toujours maintenu, ce qui diminue toute forme de liberté politique et de liberté de conscience. Sans oublier que dans d'autres, les constitutions sont modifiées, prorogeant les mandats présidentiels afin d'assurer un monopole du pouvoir, sans égard à la volonté des citoyens. Le cas de la Syrie est important à signaler. En effet, l'article 83 de la constitution syrienne de 1973 stipulait qu'un candidat à la présidence doit être un arabe syrien, jouissant de ses droits civils et politiques, et doit avoir plus de 40 ans. Cet article a été amendé en 2000 et l'âge a été descendu à 34, pour permettre à la hâte à Bashar Al Assad (né en 1965), fils du défunt président Hafez Al Assad, d'accéder au pouvoir.

Sur le plan politique, le citoyen dans l'espace arabe et musulman fait l'objet de plusieurs mesures répressives qui limitent ses libertés fondamentales (participation politique, liberté d'expression, liberté de croire et de ne pas croire, liberté de culte et de réunion, formation de partis, etc.). Par exemple, le cas des bahaïs en Égypte est significatif. En effet, l'État égyptien délivre des cartes d'identité avec la mention « musulman » ou « chrétien ». En conséquence, les bahaïs se sont vus forcés de renier leur foi, car l'État leur a refusé la mention « bahaï » sur la carte d'identité. Sur le plan culturel, on peut affirmer que la culture des droits de l'homme n'est pas devenue une priorité pour la société arabe et musulmane. Ceci en raison de la situation économique, qui la laisse plus préoccupée par la quête des moyens de subsistance, et en raison aussi de la domination des discours religieux « traditionnels » réfutant cette culture « athée » et même la diabolisant. Ajoutons que plusieurs segments des sociétés arabes et musulmanes souffrent de discrimination, qu'il s'agisse de la couleur, de la religion, de la race ou du sexe.

Cette région est donc devenue l'un des principaux obstacles au développement de la marche mondiale pour l'acceptation des droits de l'homme à l'échelle internationale, faisant fi de nombreuses initiatives visant la mondialisation des droits de l'homme.

## La notion de spécificité culturelle

La spécificité culturelle inclut la langue, la religion, les us et coutumes, la *doxa* sociale implicite ou déclarée, et les valeurs qui régissent la conduite et les normes d'approbation et de rejet de ce qui est étranger ou nouveau. La perception de toute « spécificité culturelle » s'inscrit dans un processus de défense de l'identité intimement lié à la religion contre toute ingérence extérieure. En d'autres termes, la spécificité culturelle est l'une des manifestations de l'identité, pour se différencier de l'Autre et prouver ainsi son existence.

Les fervents défenseurs de la notion de « spécificité culturelle » sous-entendent qu'il y a une harmonie complète entre les composantes d'une culture. Mais dans l'espace arabo-musulman, rappelons les conflits sectaires et ethniques, ainsi que les profondes divergences entre tendances laïques et religieuses, sans oublier les modes de comportement social chez les plus religieux et les moins religieux. L'harmonie est une ambition difficilement réalisable, dans la mesure où au sein même d'une seule culture, on retrouve plusieurs courants et tendances parfois contradictoires. Ainsi, en islam, on ne peut trouver une seule culture musulmane, mais plusieurs !... Même les textes religieux fondateurs ainsi que la tradition tolèrent différentes interprétations.

Ainsi, l'existence d'une spécificité culturelle solide, unie et qui régit tous les membres (et les identifie) d'une seule société ou même de plusieurs dans le cas de l'espace musulman, est sujet de débat. D'autant plus que si cette spécificité culturelle est définie par le courant conservateur, elle ferme les portes à la coexistence avec d'autres cultures et civilisations. Et surtout à l'interaction et l'hybridation des valeurs. D'où la vacuité même du concept. La dialectique entre la mondialisation et l'identité culturelle et religieuse est très présente dans le discours arabe et islamique actuel. Mais en mettant l'accent sur sa spécificité culturelle, sous-entendant la spécificité religieuse, ce discours s'éloigne de la réalité sociétale dans l'espace musulman, qui est fondamentalement plurielle.

Par ailleurs, la notion de « spécificité culturelle » devient un outil efficace pour légitimer la tyrannie dans l'espace musulman. Ainsi, tout peut être expliqué et justifié par la « spécificité culturelle ». D'une part, le statut inférieur de la femme est maintenu au nom de la « spécificité religieuse », tandis que la liberté menace l'identité culturelle musulmane, en ouvrant la porte aux homosexuels, bannis religieusement. D'autre part, la question de la démocratie est jugée contradictoire avec la culture musulmane authentique, selon que l'on se place du point de vue de l'une ou l'autre, soit en raison de sa laïcité, soit en raison de l'exigence d'un pouvoir califal ou clérical. C'est ainsi que rejoignent la liste établie *inconsciemment* par la « spécificité culturelle », des pratiques comme l'oppression des femmes, le système patriarcal, l'irresponsabilité des gouvernants devant les gouvernés, etc.

## Les droits de l'homme au-delà de l'Occident

Pour les défenseurs du relativisme culturel, le monde est composé de plusieurs civilisations de valeurs différentes. D'où pour eux l'impossibilité d'aboutir à un code universel des droits humains, ou du moins à une interprétation unique de ces droits. Quant aux adversaires du relativisme culturel, ils considèrent les droits de l'homme comme des droits fondamentaux inhérents à l'être humain (dans une perspective naturaliste), c'est pourquoi ils transcendent (ou doivent transcender) toutes les frontières géographiques et culturelles.

Nul ne peut contester le fait que les droits de l'homme sont une partie intégrante de la tradition culturelle moderne en Europe, qui a débuté avec les Lumières. Nul ne peut nier non plus que le contexte européen est le lieu qui a servi au développement de ce concept, jusqu'à faire partie intégrante du domaine juridictionnel (tribunaux, lois, règlements, etc.). D'ailleurs, les principales ONG des droits de la personne les plus actives se concentrent dans les pays occidentaux. À un tel point qu'on peut affirmer qu'en dépit des dérapages de la politique étrangère des grandes puissances occidentales (et même l'instrumentalisation de la notion des droits de l'homme dans les relations internationales), la société civile occidentale et ses militants demeurent un modèle à suivre en matière de respect des droits de l'homme.

D'ailleurs, c'est souvent la notion de la diversité culturelle qui est utilisée pour repousser la mise en pratique de l'idéal démocratique, la séparation de la religion et de la politique, de même que le principe des droits de l'homme. Tout le défi des militants de la sécularisation de l'espace étatique et de la création de l'État de droit est de concilier la lutte pour le respect des droits de l'homme universels et la reconnaissance de la richesse et la diversité des cultures humaines, entre autres celles de l'islam.

Cet « affrontement » ouvre en fait la porte à un antagonisme plus prononcé. C'est celui entre la laïcité, qui sous-tend la philosophie des droits de l'homme, et la religion utilisée comme paravent ou parapluie pour les défenseurs de la spécificité culturelle, notamment dans les pays où l'islam est religion, culture et identité. Dans cette aire de civilisation, les fervents défenseurs de l'islam pensent que cette religion a doté ses adeptes d'un moyen pour protéger les droits de l'homme, dans leur version musulmane, soit la soumission incontournable aux préceptes de la charia. D'où leur appel incessant à la subordination des droits humains à la charia. Le fondement des droits de l'homme, selon l'interprétation classique, réside dans ce postulat indépassable et intransgressible : l'homme est à la fois lieutenant de Dieu sur terre et mandaté par Lui. Par le fait même, cette vision islamique des droits de l'homme est bien inscrite dans l'allégeance totale à Dieu. Dans cette perspective, l'islam n'a pas besoin de cette philosophie, ni de la Déclaration de 1948, qu'on accuse d'être un produit de l'Occident et son instrument d'hégémonie et de domination.

La philosophie des droits de l'homme est certainement laïque, ce qui se manifeste au moins à deux niveaux : l'être humain est au centre de l'attention, et tout problème humain ne peut qu'être traité d'une façon immanente et point transcendante. Ce qui nécessite un dosage subtil pour dépasser cette contradiction qu'impose la laïcité aux croyants.

En outre, les « droits de l'homme » ne peuvent être réduits à un simple texte juridique sous forme de Déclaration. C'est un critère sur la base duquel on peut juger le développement de l'humanité. C'est un concept en concurrence avec d'autres normes issues principalement de l'univers doctrinal des religions, surtout monothéistes, comme seules sources de moralité.

Une autre difficulté vient de ce que les « droits de l'homme » forment aussi un concept qui dérange la politique étrangère et se situe dans un terrain mouvant, entre l'individu et le groupe, entre le citoyen et le pouvoir.

Mais il faut dire aussi que c'est une notion très solide, qui fait face aux contradictions et lacunes de certaines politiques étrangères – avec leur fameux « deux poids, deux mesures » –, et qui ne fléchit pas devant les allégations de « l'authenticité culturelle », ni devant les appels au rétablissement d'un monde centré sur Dieu et non pas autour de l'humain.

La notion des droits de l'homme tire sa force de sa vitalité pour tout le monde, y compris ceux qui la refusent d'un point de vue religieux ou identitaire, ou juste parce qu'elle est issue de la culture occidentale.

De plus, cette notion a dépassé son milieu culturel et philosophique occidental. Tout citoyen, indépendamment de son identité religieuse, dans n'importe quel pays, peut faire appel à la notion des droits de l'homme sans être obligé d'expliquer les raisons de son appel. Toutefois, la bataille n'est pas terminée ! L'essentiel c'est que la notion des droits de l'homme doit rester de bonne foi (surtout en ce qui concerne le droit d'ingérence et la sécurité humanitaire), loin de toute idéologisation qui en ferait une arme des puissants et toujours ouverte à de nouvelles interprétations en faveur de son universalisation, pour intégrer les réticents.

Il faut dire aussi que le rayonnement de cette notion des droits fondamentaux, surtout ceux qui se rapportent aux droits de croire et ne pas croire, dépend de l'attention que lui donnent ses défenseurs en s'opposant à toutes les formes d'esclavage et de tyrannie. D'où l'urgence d'insister sur la quête de la liberté et de l'égalité qui sous-tend cet idéal des droits inhérent à la modernité. Cette quête est l'ambition majeure et fondamentale de la sécularisation : la liberté du citoyen et l'égalité entre homme et femme, entre croyants et athées, entre croyants de différentes religions, et aussi et surtout l'égalité devant la loi et la loyauté au consensus social. Ainsi, la consolidation des droits de la personne au sein des cultures, surtout celles dominées par la rhétorique religieuse, est vitale même pour ses opposants !

## Les effets pervers de la mondialisation

Dans le contexte de la mondialisation, la notion de la « spécificité culturelle » propre à la culture musulmane est de plus en plus renforcée. Ainsi assiste-t-on à un effet pervers de cette mondialisation, qui met en évidence les spécificités culturelles partout dans le monde et provoque leur raidissement.

La technologie, un des vecteurs de la mondialisation, est susceptible d'être utilisée par toutes les cultures du monde, notamment les cultures non occidentales, dont la culture musulmane. Cette dernière bénéficie en effet des moyens de communication des nouvelles technologies pour mieux s'exprimer et renforcer sa « spécificité culturelle », son identité et sa religion.

Dans l'espace arabe et musulman, la mondialisation, accusée de menacer la spécificité culturelle, a été utile pour l'expansion de l'activisme islamiste, sous ses diverses formes et ses expressions les plus intransigeantes. En effet, aussi bien les mouvements islamistes violents que les groupes prosélytes non violents, se sont eux-mêmes mondialisés en utilisant les moyens de communication offerts par la modernité, notamment Internet et les chaînes satellites. C'est pourquoi on voit mal comment la mondialisation menace la spécificité culturelle arabe et musulmane ou l'islam. Le président de la Turquie, Abdallah Gül, a utilisé Twitter pour contester des décisions de son propre pays d'imposer des limitations sur l'usage de quelques sites de Google[19] !

On constate que les communautés musulmanes installées en Occident vivent dans leur pays d'accueil en s'attachant plus à leur « culture et leur identité culturelle ». Ce maintien d'un lien culturel et identitaire avec leur pays d'origine leur est rendu possible par les mécanismes de cette mondialisation, facilitant la communication avec les pays et les cultures d'origine. Ce qui a rendu leur intégration plus difficile au sein des pays occidentaux. En effet, à la différence des premières générations d'immigrants, dont l'intégration a été plus flexible – car la communication avec la culture d'origine a été plus difficile –, les générations actuelles – grâce à la mondialisation – se sentent chez eux, tout en bénéficiant des prérogatives offertes par l'État-providence, dans leurs pays d'accueil en Occident.

Cela étant, la question de la religion se pose de plus en plus, tant à l'intérieur des pays qu'au niveau international, perpétuant des visions religieuses du monde.

## La rationalité en islam, d'hier à aujourd'hui

La place de la rationalité dans la culture musulmane est le centre d'un débat historique entre intellectuels, philosophes et religieux. Ce débat se situe aujourd'hui

---

[19] « Le président turc se prononce contre le filtrage de YouTube », www.lemonde.fr avec AP, 11 juin 2010.

au cœur de l'actualité puisqu'il concerne la sortie du sous-développement du monde arabo-musulman, sa capacité d'intégrer les idéaux de la modernité, ainsi que le dialogue interculturel avec l'Occident. Bien que le courant rationaliste soit minoritaire, pour ne pas dire écarté, éclipsé et marginalisé dans la culture musulmane contemporaine, la tradition rationaliste demeure vivante et plusieurs penseurs tentent aujourd'hui de réintégrer la Raison au cœur de l'interprétation des textes sacrés, de l'échelle des valeurs et de l'édifice social arabo-musulman. Des penseurs musulmans manifestent l'ambition d'atteindre l'indépendance philosophique et de réussir la participation à la modernité et à la culture humaniste mondiale rationnelle.

Avant de faire état du rationalisme arabo-musulman aujourd'hui, il est nécessaire de clarifier certains faits.

Premièrement, aucune culture, particulièrement la culture musulmane, ne tolère un antagonisme absolu entre la raison et la révélation religieuse. Il n'y a donc pas de doute que le rationalisme est présent dans la culture arabo-musulmane. C'est une approche au cœur du patrimoine philosophique arabo-musulman. En effet, l'islam dans sa forme initiale a voulu se proposer en tant que religion rationnelle. Il n'a été fondé ni sur un mystère, ni sur un mythe, ni sur un miracle. Cette rationalité allait séduire même certains penseurs déistes du siècle des Lumières[20]. Le prophète Mahomet avait besoin de donner à son message un ton rationnel, pour

---

[20] Voir par exemple Ibn WARRAQ, *Pourquoi, je ne suis pas musulman*, Lausanne, L'Âge d'Homme, 1999, p. 44-45.

contrer les diatribes de ses détracteurs, réfractaires à son message, qui cherchaient à le diaboliser, le traitant de sorcier ou de poète. Il n'a jamais écarté la possibilité d'une réflexion rationnelle en lien avec la révélation et le texte religieux. Mais en fait, la vision de l'islam inclut aussi des croyances propres au paganisme alors dominant. D'où une tension entre cet appel à la cohérence et les superstitions répandues dans l'ordre tribal d'Arabie : croyance aux djinns, foi dans les guérisseurs charlatans, prééminence de la pensée irrationnelle et fataliste, etc. Toutefois, il faut rappeler que, dans ses éléments tant rationnels qu'irrationnels, la vision islamique reste cohérente avec les récits bibliques, surtout face à la vision animiste et au paganisme superstitieux. Plusieurs versets coraniques vont d'ailleurs dans ce sens : « Craignez Dieu, donc, ô gens intelligents, afin que vous réussissiez » (5, 102). « Tirez-en une leçon, ô vous qui êtes doués de clairvoyance » (59, 2).

L'islam classique (IXe au XIIe siècle) a été témoin des débats entre théologiens et philosophes, principalement sur la gestion étatique et le mode politique de gouvernement. Dans ce tiraillement, les religieux ont tenté de discréditer la foi des philosophes selon l'adage attribué à Al Ghazali (1058-1111) : « *kolou man tamantaka tzandaka* (celui qui utilise la logique dans ses arguments est un hérétique) ». Quant aux hommes de science, ils disposaient de liberté, tant et aussi longtemps qu'ils ne perturbaient pas l'ordre établi par le califat en place.

Certainement, l'islam a beaucoup emprunté de l'héritage grec platonicien et aristotélicien. Il faut souligner que l'exégèse musulmane est principalement fondée sur la cohérence logique aristotélicienne. C'est toutefois dans le développement historique de la culture arabo-musulmane que sont apparues les déficiences dans les relations entre le rationnel et l'édifice social et étatique. La gestion des empires musulmans fut en effet un lieu de rivalité entre la priorité du droit positif et l'application de la loi divine. Ainsi, plusieurs événements historiques ont contribué à écarter la pensée rationaliste du cœur de la culture musulmane. Nous pouvons évoquer notamment la tragédie des mutazilites[21], ces représentants d'une école rationaliste aristotélicienne apparue au VIIIe siècle qui a été violemment repoussée pour disparaître presque totalement au profit de la théologie sunnite orthodoxe entre le XIe et le XIIIe siècle. De la même façon, les philosophies rationalistes

---

[21] Mutazilisme ou école mutazilite (du verbe *i'tazala* : quitter, se retirer, se replier ou se dissocier) : école théologique du *kalâm*, basée sur la philosophie et la logique aristotélicienne. Le mutazilisme a été fondé par Wasil ibn Ataa (700-748), qui aurait « quitté » (d'où les mots *i'tizal* et *mu'tazila*) le cercle d'étudiants et de disciples qui entouraient le grand théologien de cette époque Al Hassan Al Basri (642-732). Après un débat portant sur la question suivante : « Le pécheur (commettant un péché majeur : *mourtakib al kabira*) est-il musulman ou apostat ? », Ibn Ataa proposa une troisième catégorie médiane entre ces deux dernières. C'est ainsi qu'il forma sa propre école. La doctrine mutazilite a commencé avec cette seule idée, pour devenir ensuite tout un système idéel de croyances et d'idées. Les mutazilites ont participé à tous les débats philosophico-théologiques de l'époque (tels que : le Coran est-il créé (*makhlouk*) ou non ? Quels sont les attributs de Dieu dans le Coran ? Dieu peut-il créer le mal ?). Le mutazilisme a été élevé au niveau de doctrine officielle par plusieurs califes abbassides. Leurs idées ont eu une considérable emprise sur le calife Al Ma'moun (813-833).

telles que celles d'Averroès[22] (XIIᵉ siècle) ou d'Ibn Khaldoun[23] (XIVᵉ siècle) se sont retrouvées en marge du développement ultérieur de la réflexion culturelle et politique arabo-musulmane. Si Averroès et Ibn Khaldoun représentent l'idéal du rationalisme arabo-musulman, le malheur pour cette culture est qu'elle n'a pas connu de renouvellement en profondeur de la pensée rationaliste depuis cette époque. Autrement dit, bien que la raison soit centrale dans l'islam à ses origines, l'évolution historique a écarté cet élément de son cœur. Aujourd'hui, l'ambition de plusieurs intellectuels est donc justement

---

[22] Averroès (nom latinisé d'Ibn Rochd) ou Abou Al Walid de Cordoue (Andalousie) (1126-1198) : le plus important philosophe de l'islam connu en Occident. Il commenta les œuvres d'Aristote : aussi le nommait-on le Commentateur (*Al-chareh*). De ce fait, il reste fondamentalement aristotélicien. Ce lien entre l'islam et la philosophie exprimé par Averroès (qui était aussi juriste et médecin) est expliqué dans son ouvrage majeur : *Fasl al-maqal* (Traité décisif). Le philosophe de Cordoue avance qu'il n'y a pas de contradiction entre la philosophie et la loi divine, « le vrai ne peut contredire le vrai ». Il enseigna durant sa vie qu'il existe une intelligence universelle à laquelle tous les hommes participent. Sa pensée n'a pas plu aux autorités musulmanes de l'époque qui l'ont condamné, déclaré hérétique, et qui ont fait brûler ses ouvrages.

[23] Ibn Khaldoun (1332-1406) : sociologue, historien et philosophe de l'Afrique du Nord. Il est considéré comme la figure la plus importante de l'histoire et de la sociologie dans la civilisation musulmane. L'ouvrage qui a fondé sa gloire est la *Muqaddima*, prolégomènes à la grande histoire universelle, le *Kitab al-'Ibar* [le livre des exemples]. Cet ouvrage est une introduction méthodologique à l'histoire, où Ibn Khaldoun élabore une théorie de la société. Il pense que les sociétés doivent leur existence au pouvoir de la cohésion sociale. Au cours de sa vie, Ibn Khaldoun parcourut les royaumes berbères du Maghreb et séjourna en Andalousie. Il était ministre, professeur, juge et diplomate.

de pallier cette rupture par le renouveau de la pensée rationaliste arabo-musulmane.

## La Nahda[24] ou l'échec de la modernité arabe

Dans la suite de cette décadence, l'islam de la Renaissance a perdu son rôle de pourvoyeur de sciences. En faisant face aux dynamiques déclenchées par les innovations et leurs bouleversements sociaux et culturels, les élites musulmanes ainsi que l'ensemble des sociétés sont devenues des consommatrices de sciences et de technologies qui s'imposaient à elles. Ici, la réflexion religieuse est manifestement en réaction face à des sciences et des technologies produites hors de l'aire musulmane. Le penseur positiviste égyptien Zaki Najib Mahmoud (mort en 1993) décrit cet état par « le lever du soleil du couchant ou de l'Occident (*Chourouk min al gharb*) ».

S'est alors posée la question de ce qu'il fallait retenir des innovations. Un courant religieux a entrepris de légitimer les innovations techniques occidentales tout

---

[24] Nahda : renaissance arabe au XIXᵉ siècle. Les centres culturels phares de la Nahda étaient Le Caire et Beyrouth. En Égypte, sous le règne de Mehemet Ali et sa famille (1811-1952) en particulier, par l'envoi des missions scolaires en Europe ; à Beyrouth où les missionnaires américains et européens ont fondé un réseau universitaire et collégial. La question du « retard du monde de l'islam » et celle de l'adoption des idéaux de la modernité européenne sont les principaux thèmes dont traitent les penseurs de la Nahda dans leurs écrits. Par exemple, l'ouvrage *Oum al Qora* du réformateur syrien Abdel Rahman Al Kawakibi, ou la célèbre question posée par le prince Chakib Arslan : « Pourquoi les musulmans sont-ils en retard et pourquoi les autres sont-ils en avance ? » En effet, devant la montée du monde occidental, et surtout depuis la campagne

en affirmant la supériorité de l'éthique coranique. Une autre tendance a voulu réfuter en bloc tout ce qui venait de l'Occident en alléguant une opposition au dogme tel qu'il était compris et enseigné. La réflexion s'est donc articulée hors du paradigme monothéiste islamique, au sein des sciences appartenant au paradigme de la modernité occidentale. Le défi lancé à la domination du paradigme islamique dans son espace propre vient non pas de la science produite par les musulmans, mais de celle produite par les Occidentaux, non musulmans. L'islam se sent visé par la montée de la science pour la simple raison qu'il partage, à quelques différences près, une vision biblique déjà en recul.

Mais il ne faut pas oublier que la tentative de renouer avec la tradition rationaliste d'Averroès et d'Ibn Khaldoun a connu une étape importante à l'époque de la renaissance arabe, la Nahda, au XIXe siècle. Néanmoins, pour les intellectuels musulmans, l'adoption des fondements culturels, politiques et économiques de l'Europe se faisait avant tout dans le but de l'égaler

---

de Napoléon Bonaparte en Égypte à partir de 1798, les penseurs arabo-musulmans s'interrogent sur les causes de la décadence du monde de l'islam. La question a occupé leurs esprits durant plus d'un siècle. Cela a été accentué par le contact avec les idées politico-philosophiques européennes modernes, en particulier celles de la Révolution française de 1789 et les idéaux de la déclaration des droits de l'homme et du citoyen ; notamment grâce à Rifaa Tahtaoui (1801-1873) et son célèbre ouvrage *Takhlis Al Ibriz Ila Talkhiss Bariz* (La quintessence de Paris). C'est ainsi que le monde musulman allait découvrir son retard par rapport au monde occidental. Parmi les penseurs de la Nahda, citons : Adib Ishak Yacoub Sarruf, Girgi Zaydan Chibli Chemeil et Mohamed Abdou.

et ainsi de s'émanciper de sa tutelle. Dans la mouvance du réformisme islamique de la Nahda, deux figures se sont distinguées : Sayyid Jamal Eddine Al-Afghani[25] et Mohamed Abdou[26]. Le premier, Al-Afghani, a laissé une empreinte importante dans toute la pensée islamique. Tout en prônant une unification du monde musulman pour faire face au colonialisme occidental, cet homme à la personnalité nébuleuse, mais au charisme incontestable, a réaffirmé le caractère fondamentalement rationnel de l'islam. Il a ainsi formulé une forte critique des croyances superstitieuses dominant le monde musulman pour faire l'éloge de la raison. De son côté, Mohamed Abdou, grand théologien réformiste de la Nahda, s'est opposé à l'imitation excessive de l'Occident par les musulmans et a soutenu un retour aux sources de l'islam. Dans un

---

[25] Al Afghani Jamal Eddine (1838-1897) : philosophe et activiste politique musulman, d'origine afghane. Tout au long de sa vie, Al Afghani prônait le retour au Coran et les motivations religieuses des musulmans pour les amener à résister à l'invasion occidentale sur le plan politique, économique et surtout culturel. Parmi ses ouvrages : *Tatimmat Al-Bayân fî Târîkh Al-Afghan* (Exposé complet de l'Histoire des Afghans). En 1884, il publie avec Mohamed Abdou à Paris une revue en arabe, *Al-'Urwa al-Wuthqa* (Le Lien indissoluble), dont ils ont publié une vingtaine de numéros.

[26] Mohamed Abdou, (1849-1905) : théologien réformiste de la Nahda et grand mufti égyptien. Il s'éleva contre le taqlid (imitation de l'Occident) et se battit pour le retour aux sources pures de l'islam des premiers temps. Il prôna la tolérance religieuse et appuya l'importance du 'aql (raison) comme régulateur de la religion. Ses efforts furent concentrés sur la réforme religieuse et la reprise de l'interprétation (ijtihâd). Il collabora avec Jamal Eddine Al Afghani à sa revue *Al 'Urwa al wuthqa* (Le Lien indissoluble). Il a publié entre autres *Risalat al tawhid* (Traité de l'unicité divine).

fameux dialogue[27] avec l'intellectuel chrétien libanais Farah Antoun, ardent défenseur du rationalisme et de la laïcité, Abdou défend l'idée que ce qui est accidentel dans l'islam est l'irrationnel et que c'est le rationnel qui constitue le fondement de la culture arabo-musulmane. Si Antoun reprochait à Mohammed Abdou une approche de l'islam qui n'était pas suffisamment sécularisée, ce dialogue a toutefois posé les bases d'un débat toujours d'actualité à propos de la relation entre raison et révélation et à propos de la priorité devant être accordée soit à l'interprétation centrée sur le texte sacré, soit au vécu historique des musulmans.

Une première approche contemporaine en faveur de la rationalité est celle de Mohamed Abed Al Jabri[28].

---

[27] Dans le célèbre débat entre Mohamed Abdou (1849-1905) et Farah Antoun (1874-1922), rapporté sous le titre « L'oppression en islam et dans le christianisme » dans les revues de l'époque *Al Jami'a* et *Al Manar*, furent introduits d'une manière structurée les concepts de la laïcité, de la liberté et de la rationalité avec leurs racines philosophiques du siècle des Lumières, dans la pensée politique arabe contemporaine. Le concept a ainsi été utilisé pour faire face au débordement du religieux sur le politique et le civil. Certes, ce débat se situe dans la foulée de l'appel à la laïcité de plusieurs intellectuels arabes, chrétiens et musulmans, dont le dénominateur commun est la référence à la pensée occidentale du siècle des Lumières. Mais elle est restée la référence de plusieurs débats survenus ultérieurement. L'intellectuel libanais Farah Antoun y utilisa la notion de la laïcité, comme elle a été définie par la philosophie des « Lumières », tout en mettant en exergue les objectifs de l'État et ceux de la religion. Pour lui, la religion restreint la liberté avec ses lois, contrairement à l'État moderne qui défend la liberté.

[28] Al Jabri, Mohamed Abed : penseur et philosophe d'origine marocaine né en 1935 et décédé le 3 mai 2010. Il est l'un des plus grands penseurs arabes contemporains, grâce notamment

Cet intellectuel maghrébin démontre que le patrimoine musulman peut être traduisible dans une terminologie rationnelle et moderne. En adoptant une vision moderne de la tradition arabo-musulmane, Al Jabri affirme que « [n]ous pourrons ainsi délivrer notre conception de la tradition de cette charge idéologique et affective qui pèse sur notre conscience et nous force à percevoir la tradition comme une réalité absolue qui transcende l'histoire, au lieu de la percevoir dans sa relativité et son historicité [29] ». Al Jabri affirme également que la violence des islamistes radicaux est basée sur une interprétation erronée de versets coraniques qui ne tient pas compte de leur contexte historique. Ainsi, pour ce penseur maghrébin, une redécouverte moderne d'Averroès pourrait permettre à la culture arabo-musulmane de ne pas se couper de ses racines tout en s'intégrant à la modernité, ce qui constituerait le fondement solide d'un dialogue entre musulmans, mais également avec les autres cultures. Le débat d'Al Jabri avec l'intellectuel né chrétien Georges Tarabichi est un des moments forts sur la place du

---

à sa monumentale *Naqd al-'aql al-'arabî* (Critique de la raison arabe) en quatre tomes. Ce projet, commencé au début des années 1980, exerce une influence décisive sur plusieurs chercheurs et dans plusieurs disciplines des sciences humaines et sociales. Ses thèses s'avèrent incontournables pour comprendre la genèse et les mécanismes de la pensée arabe. Parmi ses principaux ouvrages : *Nahnu wa al-turâth. Qirâ'ât mu'âsira fi turâthinâ al-falsafî* (Nous et notre tradition. Lectures contemporaines de notre tradition philosophique), *Al-Turâth wa al-hadâtha* (Tradition et modernité) et *Al khitâb al-'arabî al- mo'âssîr : dirâsa tahlîliyya naqdiyya* (Le discours arabe contemporain : Étude analytique et critique).

[29] Mohammed Abed AL JABRI, *Introduction à la critique de la raison arabe*, Paris, La Découverte, 1994, p. 25.

rationalisme dans le contexte de l'adoption des idéaux de la modernité dans la culture arabo-musulmane actuelle. Tarabichi adopte une approche rationaliste plus ouverte à la laïcité et plus critique contre le fondamentalisme[30], dans un espace où, comme le dit Pierre-Jean Luizard, « les idées laïques et laïcisantes ont été perçues comme le corollaire de régimes dictatoriaux et/ou de la domination occidentale[31] ».

De même, des penseurs tels qu'Abadallah Laroui[32] du Maroc et Nassif Nassar[33] du Liban reprennent la critique historique d'Ibn Khaldoun et proposent une approche rationaliste de la tradition et de la modernité. En particulier Nassif Nassar qui insiste sur l'actualité de la pensée khaldounienne tout en soulignant ses limites. Il la prend pour tremplin pour inciter à l'indépendance de la réflexion philosophique à l'égard de l'existence humaine et surtout à l'égard du rôle de l'être assumant

---

[30] Voir notamment son monumental projet : Georges TARABICHI, *naqd nqad al aql al arabi* (Critique de la critique de la raison arabe), Dar Al-Saqi, tome 1, *Nadhariat al-aql* (Théorie de la raison), 1996 ; tome 2, *Ichkaliat al aql al-arabi* (Problématique de la raison arabe), 1998 ; tome 3, *wahdat al aql alarabi al islami,* (Unité de la raison arabo-musulmane), 2002 ; tome 4, *al 'aql al moustaqil fi al-islam* (La Raison retraitée en islam), 2004.

[31] Pierre-Jean LUIZARD, *Laïcités autoritaires en terres d'islam*, Paris, Fayard, 2008, p. 10.

[32] Abdallah LAROUI, historien et théoricien politique d'origine marocaine né en 1933 : ses écrits concernent l'idéologie arabo-musulmane, en passant par le roman et par des textes autobiographiques, comme *Islam et Histoire, Islam et modernité, L'idéologie arabe contemporaine, Mafhoum Al-'aql* (Concept de la raison).

[33] Voir notamment son ouvrage *La pensée réaliste d'Ibn Khaldûn*, Paris, Presses Universitaires de France, 1967.

et forgeant sa propre destinée. Sa critique rationaliste du despotisme, du fanatisme, du confessionnalisme et du déficit de l'idéal libéral est remarquable et c'est sans doute une des plus cohérentes. En fait, Laroui et Nassar veulent réactiver la lecture rationnelle du passé des Arabes et des musulmans, de leur quotidien et de leurs perspectives d'avenir. Le problème essentiel posé perpétuellement par Laroui est la question de l'objectivité dans les sciences humaines et sociales. Et pour lui, ceci passe par la voie comparative, qui consiste à mettre la tradition arabo-musulmane face à la tradition occidentale, et aussi par la voie archéologique, s'intéressant aux schèmes de la pensée et aux modèles de comportement, même ceux enfouis et écartés par la tradition arabo-musulmane savante, orale ou écrite. Pour Nassar, « le dépassement des Arabes de leur impasse civilisationnelle actuelle n'est pas possible sans que la question de la rationalité soit abordée explicitement et d'une manière radicale[34] ». Cette rationalité passe premièrement, d'après Nassar, par « la libération de la philosophie et des sciences de toute sorte de domination et de tutelle[35] ». Bien manifestement, il sous-entend celles des discours religieux.

Ces appels représentent une tendance très forte et bien articulée parmi les intellectuels rationalistes arabo-musulmans. Dans ce sillage, il faut noter les apports substantiels des deux penseurs égyptiens : Youssef Karam

---

[34] Nassar, Nassif, *at-tafkir wa al hijra : mina at-turâth ila an-nahda at-thania* (La pensée et la migration : de la Tradition à la seconde renaissance), Beyrouth, Dar at-tai'a, 1997, p. 332.

[35] *Ibid.*, p. 330.

(mort en 1959), celui qui a formé une génération des enseignants de philosophie, et Fouad Zakariya (1927-2010). Le premier un aristotélicien convaincu et le second un critique ardent de l'islamisme et un défenseur animé de la laïcité.

Une seconde perspective est celle des exégètes qui tentent une réinterprétation des textes sacrés. Pour sa part, le Magrébin français Mohammed Arkoun[36] prétend que le rationalisme exige de mettre le texte religieux sous l'éclairage des sciences humaines et des disciplines objectives de la méthodologie. Suivant la pensée de Arkoun, l'intellectuel égyptien Nasr Hamed Abou Zayed affirme qu'il faut permettre à la Raison d'interpréter la tradition scripturaire pour l'actualiser : « Si le Coran est un texte sacré, la langue arabe, dans laquelle il a été transmis, est un langage humain[37]. » Cette approche libérale a néanmoins valu à Abou Zeyd de recevoir des menaces l'accusant d'apostasie et d'être condamné par un tribunal égyptien. On peut aussi mentionner le

---

[36] Mohamed ARKOUN : philosophe islamologue et historien d'origine algérienne né en 1928. Arkoun est professeur émérite d'histoire de la pensée islamique à la Sorbonne (Paris-III) et professeur visiteur dans les universités d'Amsterdam (Pays-Bas) et de Princeton (É.-U.). Il a publié de très nombreux ouvrages dont *L'Humanisme arabe au X⁰ siècle*, *Lectures du Coran*, *Pour une critique de la raison islamique* et *La Pensée arabe*. Arkoun poursuit ses recherches avec ses publications et ses conférences à travers le monde (Europe, Amérique et sociétés travaillées par le fait islamique) en développant une critique interne de l'islam par rapport à ses propres principes et valeurs, en vue d'un enseignement du fait religieux libéré des clôtures dogmatiques héritées du passé.

[37] Françoise GERMAIN-ROBIN, « Un couple d'universitaires pourchassé par les intégristes égyptiens », *L'Humanité*, 9 avril 1996.

philosophe égyptien Hassan Hanafi (1935-), qui utilise la phénoménologie de l'Allemand Edmund Husserl pour essayer de reconstruire la pensée islamique classique[38].

En Tunisie, l'historien Mohammed Talbi (1921-) souhaite également une révolution dans l'interprétation des préceptes religieux. Il plaide, dans l'un de ses ouvrages[39], pour une interprétation critique des textes sacrés qui tienne compte du vécu quotidien et actuel des musulmans. Souvent qualifié de « libre penseur de l'islam », Talbi affirme que la charia est avant tout une « production humaine » dont les prescriptions, notamment sur la lapidation des femmes adultères ou sur les châtiments corporels, ne peuvent être reconnues comme obligatoires par les musulmans d'aujourd'hui[40]. La tolérance envers des interprétations critiques des textes religieux est toutefois bien mince dans les États musulmans et ces exégètes se voient contraints à la plus grande discrétion, ce qui affaiblit la portée de leurs travaux.

Un troisième appel connaissant une émergence importante dans la mouvance chiite est celui de l'imam

---

[38] Voir entre autres ses ouvrages : *Les méthodes d'exégèse : essai sur la science des fondements de la compréhension*, Le Caire, Conseil supérieur des arts, des lettres et des sciences sociales, 1965 ; *La phénoménologie de l'exégèse : essai d'une herméneutique existentielle à partir du Nouveau Testament*, Le Caire, Anglo-Egyptian Bookshop, 1988.

[39] Mohamed TALBI, *Penseur libre en Islam*, Paris, Albin Michel, 2002.

[40] Florence BEAUGÉ, « Mohamed Talbi : Libre penseur de l'Islam », *Le Monde*, 23 septembre 2006, p. 18.

libanais Mohammed Mehdi Chamseddine[41] (1936-2001). Celui-ci affirmait que l'islam ne porte pas nécessairement en lui une conception théocratique de l'État et qu'il peut très bien survivre dans un État laïque ou areligieux. Selon Chamseddine, l'adoption du système politique démocratique est même devenue indispensable pour l'intérêt du monde arabe et de l'islam. Cette tendance existe principalement dans le chiisme réformateur dont la figure importante est l'Ayatollah Al- Sistani en Irak. Celui-ci est catégorique dans son appel à la formation d'un État non religieux, non clérical et non sectaire. Justement aux antipodes de l'apport politico-religieux de l'imam Khoméini en application en Iran.

L'appel qu'a lancé Chamseddine, repris par d'autres instances chiites, est aujourd'hui secondé par un autre intellectuel libanais, musulman sunnite, Redouane Essayed[42], exégète et fondateur de la revue *Les portes de l'interprétation*. Pour Essayed, il faut mettre fin à l'idée de l'État religieux qui n'est absolument pas une exigence de l'islam. Cette vision était d'ailleurs celle

---

[41] Mohamed Mehdi CHAMSEDDINE (mort en 2001) : ancien président du Conseil supérieur chiite au Liban. Considéré comme modéré et très ouvert au dialogue, il a produit des réflexions articulées sur le convivium islamo-chrétien au Liban. Parmi ses ouvrages : O*rganisation du pouvoir et de l'administration en islam* (1954), *La révolte d'Al Hussein dans l'inconscient populaire* (1980) et *Les commandements* (2002).

[42] Redouane ESSAYED : penseur libanais né en 1949, professeur des études islamiques à l'université libanaise, et professeur visiteur à plusieurs universités occidentales (Harvard, Chicago, Salzburg, etc.). Parmi ses ouvrages : *La lutte sur l'islam*, *Les politiques de l'islam contemporain* et *La communauté, le groupe et le pouvoir*.

d'Ali Abderraziq[43] qui appelait à la fin du califat dans les années 1920-1926 en rappelant que celui-ci n'est qu'une institution historique accessoire et n'est pas nécessaire à la plénitude de la foi.

La quatrième tendance concerne la question incontournable de la laïcité dans l'espace public. En effet, la culture arabo-musulmane est aujourd'hui tiraillée entre, d'une part, les intellectuels rationalistes et modernistes et, d'autre part, la réalité d'un rétrécissement de l'espace libéral et l'incursion de plus en plus importante du religieux dans la gestion sociale et étatique des pays musulmans. Le défi de rallier le rationnel à l'idéal de la modernité et de la liberté est d'autant plus difficile que nous assistons souvent à une idéologisation de la raison à des fins politiques. Le rationalisme exige donc d'être accompagné par le libéralisme, sans quoi il n'est plus une idée humaniste et court le risque d'être instrumentalisé à des fins idéologiques pour faire l'éloge de la dictature et de l'autoritarisme.

L'appel de l'intellectuel suisse Tariq Ramadan à accepter la déjuridisation de l'islam, notamment en suspendant les châtiments corporels, est l'une des tentatives permettant de réconcilier l'islam avec la rationalité, mais également avec les droits humains tels qu'ils sont conçus dans les

---

[43] Ali ABDERRAZIQ (1888-1966) : penseur islamique réformiste égyptien et l'un des théologiens musulmans les plus respectés dans le monde arabe. Son œuvre principale, *L'islam et les fondements du pouvoir* (1925), constitue une pierre angulaire de la pensée arabo-musulmane contemporaine. La réflexion d'Ali Abderraziq plaidait pour une séparation du religieux et du politique. Ses thèses lui avaient valu la condamnation des théologiens d'Al Azhar.

foyers libéralo-démocratiques. De son côté, Georges Tarabichi affirme également que la rationalité sera déficiente tant qu'elle ne sera pas réconciliée avec la laïcité et l'idéal de la liberté. Enfin, l'écrivain syrien Mohamad Chahrour propose[44] une interprétation critique du texte religieux qui permette de sauvegarder la primauté des droits humains dans le sillage d'une acceptation réfléchie de la sécularisation et des idéaux de la modernité et surtout après le rejet de l'idéologisation de la religion.

## Le rationalisme arabo-musulman dans l'espace public

Ce tour d'horizon de la mouvance rationaliste dans la culture arabo-musulmane nous permet de constater la possibilité d'une réconciliation entre la religion musulmane, le rationalisme et l'humanisme. Néanmoins, les défis de ces intellectuels sont grands, non seulement en raison de leur situation minoritaire par rapport à l'ensemble de la pensée arabo-musulmane, dominé par le courant traditionaliste, mais aussi en raison du contexte sociopolitique qui représente bien souvent un obstacle au développement d'une pensée rationaliste.

En effet, parmi les défis du rationalisme arabo-musulman, nous pouvons tout d'abord mentionner l'échec de la modernisation étatique. L'État post-indépendant dans le monde arabo-musulman n'a pas pu assurer à ses citoyens un espace de liberté, et le déficit démocratique

---

[44] Voir entre autres son ouvrage : *Al islam wa al-iman* : *mandhumat al-Qiam* (Islam et foi : le système de valeurs), Damas, *Al-Ahali li-al Tiba'a wa An-nashr wa At-tawzi'*, 1996.

dans l'exercice du pouvoir est un problème majeur auquel est confronté le rationalisme.

Un second obstacle tout aussi important est celui du spectre de la *fitna (*discorde), de la guerre civile entre musulmans. En Irak et ailleurs, la tension entre sunnites et chiites prépare le terrain pour une polarisation au sein du monde arabo-musulman, écartant par le fait même les espoirs de réconciliation et de médiation interculturelle qui ne peuvent être fondés que sur une approche rationnelle. Une telle discorde serait une tragédie pour le monde arabo-musulman et les intellectuels sont appelés à œuvrer pour conjurer cette menace, présentée par les tares de la culture arabo-musulmane actuelle, à savoir : le *takfir* (l'apostasie) et le *takhwin* (l'accusation d'infidélité nationale), l'unicité du discours et son uniformisation par la contrainte et l'intimidation, le refus du droit à la différence, etc.

## Le défi de l'autocritique

Par ailleurs, la culture arabo-musulmane est appelée par certains de ses propres intellectuels à développer une capacité d'autocritique pour assurer la double autonomie du politique et du religieux et pour contrer la mentalité du dénigrement de l'Autre et celle du complot et de la victimisation. Si la plaie coloniale n'est pas à négliger, il est important de se responsabiliser et de s'engager dans une relecture critique de sa propre culture.

Une relecture consciente que la tradition n'a pas toutes les solutions des crises actuelles et que la modernité n'est pas un idéal à calquer. D'autant plus qu'il n'y a jamais une seule lecture de cette tradition et que toute lecture est tributaire de ses circonstances historiques et des particularités de la situation. Évidemment, la clé permettant de sortir de la décadence serait une nouvelle Nahda animée par l'exigence de la mise en œuvre de l'idéal de la liberté et surtout de l'autonomie de la pensée critique. La quête de la rationalité autonome et libérée des discours idéologiques – ceux des pouvoirs et des contre-pouvoirs, religieux en particulier – est un objectif noble de la pensée arabo-musulmane actuelle. Cette rationalité serait nécessairement en interaction avec les phénomènes de la sécularisation et de la mondialisation. En ce sens, elle deviendrait le vecteur principal pour un humanisme arabo-musulman en éclosion dans des espaces libéraux et démocratiques.

Les intellectuels arabo-musulmans ont effectivement la responsabilité de s'engager dans cette réflexion en étant animés de la conviction qu'islam et rationalisme font bon ménage et que le radicalisme (*al Ghoulou*) inhibe l'éclosion de la modération ou la quête du juste milieu. Cette réflexion, sans qu'elle soit forcément encadrée par les paramètres de l'âge classique, devrait s'articuler à la lumière de l'apport inestimable de leurs grands penseurs, notamment Averroès et Ibn Khaldoun. Mais elle devrait surtout être animée par l'obligation d'engager un dialogue avec le nouvel humanisme émergent et les valeurs de la société civile mondiale qui sont une incarnation des idéaux de la modernité.

Cette modernité, en dépit de son malaise, reste pour toutes les cultures une option viable et universalisable.

Aucune approche intégriste n'est apte à se proposer comme universelle. De plus, la pensée intégriste religieuse révèle ses limitations devant la diversité culturelle et la pluralité. La pression exercée par les intégrismes, les radicalismes et les fondamentalismes, interpelle, sans pouvoir l'annuler comme idéal à suivre, la modernité, elle qui se remet sans cesse en question. La critique intégriste de la modernité reste incapable de projeter un modèle viable et consensuel, et comme le dit Arkoun : « L'ennemi islamiste n'a ni la même envergure idéologique, ni la même force de dissuasion militaire pour faire peser la menace apocalyptique installée dans les imaginaires sociaux ; il remplit, cependant, plusieurs fonctions qui éloignent pour un temps indéterminé de nouvelles conquêtes irréversibles de l'espérance démocratique que tous les peuples plus dépendants que jamais des volontés de puissance en travail dans la mondialisation cultivent partout dans les pires tragédies historiquement programmées[45]. » Aussi, même en soulignant que la modernité est une expérience propre à la culture occidentale, l'approche intégriste ne sort pas de son impasse puisque les acquis universels de la modernité occidentale, comme la notion de la citoyenneté, la liberté de conscience, le rejet de l'exclusivisme, la neutralité religieuse de l'État, l'emportent majestueusement sur elle et sur toute autre critique radicale et nihiliste. Si le malaise de la modernité en Occident est manifeste, l'échec de la solution intégriste est certain.

---

[45] Mohamed Arkoun, « Islam et démocratie. Quelle démocratie ? Quel islam ? », *Cités*, vol. 4, n° 12, 2002, p. 99.

## 2

# LES BRICOLAGES POLITIQUES DU RELIGIEUX

La religion est de plus en plus prise en considération pour comprendre les événements, les conflits, les
changements et les bouleversements qui surviennent sur
la scène internationale. Des analystes et des théoriciens
considèrent le prisme ou le paradigme du religieux dans
leur grille de lecture des affaires mondiales[1]. Ceci n'est
d'ailleurs pas nouveau puisque la religion a été longtemps considérée comme l'un des principaux moteurs
de l'histoire humaine et comme un fondement central
de la vision du monde, ce qui atteste d'une double
dimension : l'homme est à la fois un être religieux et
un être politique.

Cette « liaison dangereuse[2] » entre la politique et
la religion mène à une difficulté de penser l'une en

---

[1] Voir entre autres un ouvrage récent : Reza ASLAN, *How to Win
a Cosmic War : God, Globalization, and the End of the War on
Terror*, Toronto, Random House, 2009.

[2] Thomas FERENCZI (dir.), *Religion et politique. Une liaison
dangereuse ?*, Paris, Complexe, 2003.

dehors de l'autre, ce qui prête flanc à une resacralisation du pouvoir politique et des relations internationales. Sur ces deux plans, religion et politique s'influencent mutuellement : chacune se légitime ou tente d'élargir sa légitimité par l'autre. Toutefois, la relation entre la religion et les changements sociopolitiques varie à travers les diverses communautés, les pays et les phases historiques d'une même société. En effet, dans des pays orientaux, les relations entretenues entre une majorité et une minorité religieusement différentes ne sont pas les mêmes que celles entretenues entre des communautés de religions différentes au sein de l'espace occidental libéralo-démocratique.

À la suite des mutations du système bipolaire instauré au lendemain de la Deuxième Guerre mondiale, et surtout après le déclin des idéologies séculières, comme le communisme et les nationalismes ethnoculturels ou civiques ayant eu des impacts sur la place du religieux dans les sociétés, la religion est de nouveau prise en considération, même si ce retour est perçu comme un indice de l'arriération ou du déficit de la modernité, ou même comme son rejet[3]. À partir des années 1980 se produisent des événements comme la Révolution de Khomeiny en 1979, l'éclatement de l'URSS, la chute du Mur de Berlin

---

[3] Il faut noter que certains auteurs, comme Francis FUKUYAMA, ne voient pas une contradiction entre modernité et religion. La laïcité, pour Fukuyama, n'est pas une condition de la modernité, voir Francis FUKUYAMA, (entretien avec), « Societies don't have to be secular to be modern », *Christian Science Monitor*, 21 octobre 2009 ; http://www.csmonitor.com/Commentary/Opinion/2009/1021/p09s07-coop.html.

le 9 novembre 1989, la seconde guerre du Golfe en 1991, les événements terroristes du 11 septembre 2001, qui marqueront la reprise de la religion. Cette dernière, après une éclipse[4], fait sa rentrée graduelle et visible dans les considérations diplomatiques des approches occidentales et elle va surtout occuper une position centrale dans plusieurs conflits. Dans l'espace non occidental, la religion n'a pas subi le même processus de séparation du politique : elle est restée présente, à des degrés différents, dans la culture politique et les événements en cours. Certains auteurs parlent même d'un excès de religiosité.

Sur le plan conceptuel, avec l'exigence pressante de tenir compte des cultures qui gardent des liens étroits entre la politique et la religion, les théories occidentales ont ignoré la religion comme paradigme d'analyse ou élément fondamental de la grille de lecture des affaires internationales. Toutefois, elles ont mieux pris en considération d'autres facteurs d'interprétation ou de compréhension comme le nationalisme, qui peuvent avoir des liens étroits avec la religion. Par exemple, dans le judaïsme nationalement interprété en Israël, le sionisme laïque cohabite avec les religieux ultra-orthodoxes ou les « hommes en noir », allant souvent même jusqu'à les appuyer. De même, le modèle iranien se fonde sur le pouvoir clérical chiite, où la constitution déclare l'État à la fois chiite duodécimain

---

[4] Marcel Gauchet appelle désenchantement du monde le fait que celui-ci ne soit plus organisé par la religion. Gauchet vise notamment les sociétés occidentales qui, selon lui, continuent jusqu'à maintenant à s'émanciper par rapport de leurs fondements religieux. Gauchet a écrit *Le désenchantement du monde* en 1985 et a réitéré sa thèse en 2004 dans *Un monde désenchanté ?*

et républicain. Tandis que le pouvoir saoudien sunnite, communément appelé wahhabite[5], se fonde sur les alliances tribalo-cléricales internes et une alliance prononcée avec les États-Unis au niveau externe diplomatique et stratégique. Du coup, après avoir été longtemps ignorée ou même rejetée par les chercheurs de la discipline des relations internationales, la religion s'est récemment introduite dans les analyses des internationalistes comme un phénomène social explicatif des affaires mondiales, des tensions et des conflits.

Il n'est pas faux de dire que le phénomène de la mondialisation a fait descendre l'État-nation souverain de son piédestal, que le système westphalien l'a intronisé au détriment des entités à caractère religieux comme l'Église et d'autres empires et royaumes médiévaux. Ce déclin du concept de l'État territorial souverain s'est fait à la faveur des religions et des idéologies religieuses transétatiques, transfrontalières ou transculturelles. Ce que Jean-Claude Guillebaud appelle la mondialisation du religieux, c'est-à-dire « la déconnexion de plus en plus avérée entre une confession et un territoire[6] ». Ce déclin des États-nations territoriaux est accompagné par la globalisation du discours fondamentaliste contre la sécularisation et les idéologies

---

[5] Relatif au wahhabisme, mouvement fondé dans la péninsule arabique par le prédicateur Mohammad Ibn Abdel-Wahhab (1705-1792), qui prônait un islam puritain et rejetait toutes les innovations (*bid'a*). Il s'inspirait de l'école théologique d'Ibn Hanbal (780-855) connue par son littéralisme et son rigorisme, ainsi que des écrits d'Ibn Taymiya (1263-1328) de la même mouvance.

[6] « La mondialisation du religieux. Entretien avec Jean-Claude Guillebaud », *Études*, tome 409, 2008/11, p. 477.

séculières. Selon les termes de Gilles Kepel, avec une « revanche de Dieu », la religion est devenue une identité de référence et d'appartenance pour des États, des groupes et des individus qui s'activent sur la scène internationale. En fait, parmi les retombées ou les incidences du phénomène de la mondialisation, on trouve la fragmentation de plusieurs communautés, et leur transmutation en d'autres sous-communautés avec d'autres identités religieuse, sectaire, ethnique et linguistique.

Il faut aussi relever la position de Pierre Manent qui considère que « plus la société moderne se barricade effectivement contre l'influence réelle du christianisme, plus elle se sent animée des *valeurs chrétiennes*[7] ». Manent est d'accord pour appeler ce processus *sécularisation* alors que Danièle Hervieu-Léger parle plutôt de *désinstitutionnalisation* pour indiquer une perte d'influence des institutions religieuses, mais une prolifération des croyances et des spiritualités plus diffuses et plus libres[8].

Cette émergence ou réémergence du fait religieux ces dernières années a été accompagnée par son instrumentalisation dans la mobilisation politique et elle a même servi à légitimer les politiques internes et externes de certains régimes. Elle est aussi utilisée comme un moyen de provocation et d'enclenchement de changements politiques afin d'atteindre l'équilibre politique par le

---

[7] Pierre MANENT, *Enquête sur la démocratie*, Paris, Gallimard, 2007, p. 434.

[8] Voir Danièle HERVIEU-LÉGER, *La religion pour mémoire*, Paris, Cerf, 1993, citée par Solange LEFEBVRE, « Les religions, entre la sécularité et la participation à la sphère publique », dans Solange LEFEBVRE (dir.), *La religion dans la sphère publique*, p. 392.

partage du pouvoir entre différentes communautés religieuses ou confessionnelles, ou entre les différents acteurs infra-étatiques.

La religion reste enfin un outil de restructuration du cadre politique et social. Elle est utile aux États qui luttent contre les maux dont souffrent leurs systèmes, comme la décadence, la corruption et le népotisme. Mais le sentiment religieux peut également être exploité comme système de défense identitaire contre la menace externe, d'où cette mondialisation de la violence au nom de la religion.

Par conséquent, le rôle joué par la religion dans les relations internationales ne doit plus être occulté et suscite de plus en plus d'intérêt. Elle est même devenue une composante principale de la politique étrangère de certains pays ayant des frontières communes, dans leurs litiges sur l'identité, les intérêts, et surtout dans la formation des alliances politiques.

## Le fait religieux : vecteur de changement et nouveau prisme d'analyse

La structure du système international et des paradigmes des relations internationales s'est trouvée remodelée par le retour de la religion ou par l'accentuation de son rôle. Les traits les plus importants de cette évolution peuvent être résumés ainsi :

– Dans le système bipolaire, les luttes se déroulaient entre deux idéologies sécularistes : le socialisme et le capitalisme, ou le communisme et le libéralisme.

Dans le sillage de l'effondrement de ce système, on a noté l'émergence de certains États, comme Israël, l'Iran et l'Arabie saoudite, avec une ambition de puissance régionale, et affichant sans gêne une identité religieuse ou la revigoration d'idéologies religieuses aux aspirations transfrontalières.

— La religion, qui avait été marginalisée dans la sphère publique et qui continue de tenir des discours soit antimodernes, soit contestataires des valeurs modernes, réintègre cependant la modernité par la voie des nouveaux médias, dont elle fait usage. La mouvance religieuse, fondamentaliste en particulier, s'impose lorsqu'il s'agit d'exprimer son point de vue sur les affaires du monde et d'influencer leur cours. Le fondamentalisme prend donc les allures paradoxales d'un phénomène moderne en riposte à la modernité et à la sécularisation.

— L'internationalisation ou la mondialisation de certains problèmes qui ne dépassaient pas le cadre étatique ont contribué à l'émergence des activités religieuses au sein même des approches défendues par les tenants de l'altermondialisation. Des incertitudes aussi diverses que celles de catastrophes nucléaires, de la protection de l'environnement, celles touchant la condition de la couche d'ozone, la rareté de l'eau et le terrorisme international, nécessitent, pour leur règlement, une action internationale concertée. La religion se voit dans l'obligation de participer à ce débat et à cette lutte. Dans cette perspective, plusieurs organisations religieuses se sont manifestées, jouant un rôle de plus en plus important sur la scène mondiale pour affronter les périls de la dégradation de l'environnement.

– L'internationalisation des cultures due aux migrations, aux flux ethniques, financiers, idéologiques et aux technologies de l'information a fait émerger une communauté internationale composée de forces multiples, tant politiques qu'économiques, tant culturelles que sociales. Le pouvoir des États est contesté par les firmes internationales, les ONG, la société civile internationale et par des organisations internationales à caractère religieux, marquant l'échec de l'État-nation, surtout celui de l'État-providence, à remplacer les fonctions de la religion. La religion devient un refuge lors de changements brusques qui créent une insécurité psychologique et imposent un changement accéléré dans les modes de vie, bousculés par le capitalisme et la société de consommation.

– Dans un contexte de revendications religieuses et identitaires, l'interdépendance des acteurs internationaux comme les États et les ONG les pousse à tenter d'assurer la sécurité mondiale et de résoudre pacifiquement les conflits. Ainsi, plusieurs organisations à vocation religieuse jouent un rôle important dans le domaine diplomatique sur la scène internationale, sans oublier leur implication dans le dialogue proprement religieux, où elles parviennent à certains échanges exempts de partialité et de jugement sur leurs convictions dogmatiques, cultuelles et éthiques respectives. Les sociétés deviennent de plus en plus plurielles et assujetties aux dynamiques du métissage interculturel et interreligieux, ce qui pose l'impératif de partager la même citoyenneté et de vivre dans un monde qui se rétrécit sous la pesanteur des défis globaux de toute nature.

D'un autre côté, le facteur religieux a été réintroduit par plusieurs concepts de base connus dans la discipline des relations internationales :

– Le concept de la mondialisation lui-même : on peut dire que la mise en évidence des dimensions culturelles et religieuses aux côtés des dimensions politiques et économiques, selon les changements globaux étudiés dans les dernières décennies, représente une valeur ajoutée[9]. Par son effet d'uniformisation des modes de production et de consommation, la mondialisation a déclenché des prises de conscience identitaires religieuses.

– *La fin de l'histoire* : ce concept, défendu par Francis Fukuyama, stipule qu'après l'effondrement de l'Union soviétique, la démocratie libérale représente la fin de l'évolution idéologique de l'humanité et la forme la plus complète de tout pouvoir humain. En fait, pour Fukuyama, la religion n'est pas un modèle pour toute l'humanité, alors que le modèle démocratique occidental est universalisable. En outre, Fukuyama divise le monde en deux : un monde post-historique, composé des États

---

[9] Voir entre autres : John L Esposito et Michael M. Watson, *Religion and Global Order*, University of Wales Press, 2000.

démocratiques libéraux qui régleront leurs conflits par une interaction économique, et un monde historique composés des États non démocratiques dans lesquels les conflits religieux et identitaires persisteront. Les relations entre ces deux mondes seront marquées par « des méfiances et des peurs réciproques » et « la force continuera d'être l'*ultima ratio* dans leurs relations mutuelles[10] ».

– *Le choc des civilisations* : cette approche, avancée par Samuel Huntington en 1993, proposait que, le temps des idéologies communiste et socialiste étant révolu, le monde assisterait à une renaissance des sentiments religieux, nationalistes ou culturels. Huntington opère une classification des civilisations présentes dans le monde actuel, entre autres sur une base religieuse[11]. D'un côté, on trouve la chrétienté occidentale fondée sur le christianisme catholique et protestant qui est constituée de l'Europe de l'Ouest, des États-Unis, du Canada, de l'Australie et de la Nouvelle-Zélande. Quant à des pays comme la Russie, l'Ukraine, les Balkans orientaux, la Serbie et la Grèce, ils reposent sur le christianisme orthodoxe. La civilisation latino-américaine, celle qui s'étend du Río Grande à la Terre de Feu, est fondée sur le catholicisme ; la civilisation musulmane est basée sur l'islam, de l'Afghanistan à la Mauritanie, regroupant les pays arabes et musulmans ; la civilisation

---

[10] Francis FUKUYAMA, *La Fin de l'histoire et le dernier homme*, Paris, Flammarion, 1992, p. 316.

[11] Samuel HUNTINGTON, *Le choc des civilisations*, Paris, Odile Jacob, 1997.

hindoue, en Inde, au Népal, au Sri Lanka et dans la diaspora indienne, est fondée sur l'hindouisme, sans oublier le rôle de la communauté sikh aux ambitions politiques manifestes. Certainement, la thèse de Huntington est plus que contestée par plusieurs intellectuels occidentaux, entre autres par Guillebaud pour qui elle « était surtout une machine de guerre idéologique, notamment contre l'islam. Elle visait à réactiver le discours dominateur qui a été celui de la colonisation durant quatre siècles : l'Occident incarne le progrès, la culture, la liberté, et ce qui l'entoure n'est que barbarie. Le plus tragique, c'est que cette "idée fausse" a été en quelque sorte ressuscitée après les attentats du 11 septembre 2001[12] ».

Toujours est-il que ces concepts permettent de formuler une théorie générale des relations internationales qui prenne en considération le rôle de la religion. Comment mesurer l'influence de la dimension religieuse dans l'analyse des relations internationales ? La difficulté théorique réside dans la définition de ce qu'est le religieux et dans la mesure de l'influence de la religion dans les décisions de paix et de guerre. Toutefois, l'introduction du paradigme religieux aiderait certainement à mieux comprendre les relations internationales.

La question de la place de la dimension religieuse dans le champ des relations internationales a été intimement liée

---

[12] « La mondialisation du religieux. Entretien avec Jean-Claude Guillebaud », p. 474.

à celle de l'éthique dans ce même champ. Une première tendance affirme l'absurdité d'introduire l'éthique dans le champ de la politique internationale, qui ne connaît que les intérêts. Cette tendance est représentée par le réalisme de Hans Morgenthau[13]. Même si ce dernier croit nécessaire l'adoption d'une morale dans les relations internationales, il reste contre toute justification morale ou éthique de la politique internationale. Une deuxième tendance estime que donner une place à la morale dans les relations internationales ne signifie pas que l'on ignore la réalité, mais plutôt que l'on doit la rationaliser pour ne pas succomber à des calculs pragmatiques poussés à l'extrême. Cette école de pensée est représentée par plusieurs chercheurs occidentaux, notamment Stanley Hoffmann qui souligne, par son questionnement, l'importance du rôle de l'éthique dans les relations internationales : le cas échéant, quelles sont les limites de cette option ? Il conclut qu'il n'y a pas de loi universelle régissant la conduite extérieure des États, qu'ils sont plutôt égoïstes. Il souligne aussi, à la lumière de la disparité des personnalités des décideurs d'un pays à l'autre, la difficulté de la présence d'une éthique quelconque dans le processus de la prise de décision. Hoffmann estime également que la relativité

---

[13] À ce sujet, Morgenthau dit : « Realism maintains that universal moral principles cannot be applied to the actions of states. [...] While the individual has a moral right to sacrifice himself in defense of such a moral principle, the state has no right to let its moral disapproval of the infringement of [that moral principle] get in the way of successful political action... », voir Hans MORGENTHAU et Kenneth THOMPSON, *Politics Among Nations*, New York, McGraw-Hill, 6ᵉ éd., 1984, p. 166.

des normes éthiques reste un problème certain dans les relations internationales[14]. Ce qui est bien pour l'un l'est-il pour l'autre ? Et le sera-t-il toujours dans l'avenir ?

À partir de ces tendances, on peut émettre certaines observations. En effet, eu égard aux désaccords entre les théoriciens des relations internationales sur l'importance du rôle de la religion dans toutes ses dimensions dont l'éthique, il faut signaler qu'il n'existe pas de définition commune de l'éthique comme cadre pouvant caractériser la politique étrangère, ni même un accord minimal au sujet des valeurs religieuses communes qui peuvent régir les relations internationales. D'autre part, il est difficile d'ignorer l'impact des croyances et des convictions religieuses sur les décideurs politiques, les théoriciens et les analystes. La dimension religieuse apparaît comme un facteur essentiel à la compréhension des relations internationales et impose de s'interroger sur la manière dont la religion structure la vision du monde.

## Un pilier dans la vision du monde

Les lendemains de la Seconde Guerre mondiale marquent une accentuation des motivations religieuses de l'action politique avec des conséquences mondiales, par exemple la création de nouveaux États sur une base religieuse, dont le Pakistan en 1947, Israël en 1948, et le Népal indépendant depuis 1923, sans oublier la mise

---

[14] Stanley HOFFMANN, *Une morale pour les monstres froids : pour une éthique des relations internationales*, Paris, Seuil, 1982.

en évidence de plusieurs visions religieuses du monde et des relations internationales. Les cas qui suivent sont révélateurs en ce sens.

## *Israël : le peuple élu veut son État*

Dans sa formation, le sionisme, à l'instar de la plupart des idéologies nationalistes européennes, se fondait sur la conception séculariste de l'État de droit. Les promoteurs du sionisme faisaient valoir leurs convictions athéistes ou irréligieuses, que ce soit Theodore Herzl, David Ben Gourion ou Golda Meir. Mais deux perspectives religieuses influencent la pensée politique israélienne contemporaine[15] : il y a d'abord celle que l'on retrouve sous une forme ou une autre dans l'Ancien Testament, qui constitue la base de l'État d'Israël et qui est au cœur de l'action des principaux courants intellectuels et politiques israéliens : les Juifs forment le peuple élu de Dieu. Jérusalem est une ville juive. Elle est la capitale éternelle de l'État d'Israël. La reconstruction du Temple de Jérusalem est primordiale et est liée aussi à l'attente messianique[16]. Israël est l'État de tous les Juifs dispersés dans le monde entier, donné par Dieu selon la prophétie biblique. Un exemple de réponse à cette vision est la conférence d'Annapolis en 2007 qui a reconnu le caractère

---

[15] Bien sûr, sont exclus ici les religieux juifs qui sont contre la fondation de l'État d'Israël.

[16] Cette idée, prêchée par plusieurs rabbins israéliens, dont le leader spirituel du parti Shass, Youssef Ofadia, trouve écho chez les politiciens israéliens, à des fins électorales ou politiques, dans les pourparlers avec les Palestiniens.

juif de l'État d'Israël, et invité l'Autorité palestinienne à accepter un tel fait. La Palestine est la terre promise choisie par Dieu pour son peuple élu.

La deuxième perspective est celle qui domine dans les cercles protestants fondamentalistes américains, et selon laquelle le soutien d'Israël fait partie de l'enseignement de la religion chrétienne.

## Le fondamentalisme américain

Cette tendance est liée aux idées de la droite religieuse aux États-Unis et à d'autres groupes d'extrême droite de plusieurs pays occidentaux après la fin de la guerre froide. Elle a été nourrie par l'anticommunisme et par le maccarthysme (1950-1954), période marquée par la diabolisation et la répression sévère de tout sympathisant et de tout élément rattaché au communisme, ainsi que par la sécularisation. Dans la perspective fondamentaliste, les relations internationales forment un champ de conflit entre dogmes et idéologies. Ainsi, le système international restera un environnement du Mal endémique et d'affrontements jusqu'à la *bataille d'Armageddon* qui aura lieu sur la terre d'Israël. Il est clair que ce courant interprète les conflits internationaux à partir des textes bibliques, plus particulièrement selon le livre de l'Apocalypse où il est question de cette bataille d'Armageddon.

Un certain nombre de convictions président à la vision qu'ont les fondamentalistes des relations internationales :

- Au lieu de l'État, c'est la *société religieuse* qui, chez les internationalistes réalistes, est l'entité de base servant à l'analyse des relations internationales. C'est une société transnationale qui transcende toutes les autres sociétés et les entités étatiques.
- Les grands problèmes politiques internationaux ont des racines spirituelles ou religieuses. Ils sont principalement dus au manque de foi en Jésus Christ comme Sauveur de l'humanité, et à leur penchant vers le mal et le péché.
- Après l'effondrement de l'URSS, applaudi par les théoriciens du mouvement fondamentaliste comme Tim Lahaye et Jerry B. Jenkins[17], la situation internationale est devenue propice à une généralisation de la vision fondamentaliste du monde, ce à quoi les dirigeants occidentaux laïques doivent œuvrer.
- La nécessité de recourir à la force afin de résoudre les problèmes internationaux ou les considérations religieuses l'emporte sur la sécurité et l'économie. La résolution des conflits internationaux dépend de la foi en Jésus qui est la voie de l'établissement d'un nouvel Ordre mondial divin.

---

[17] Voir notamment leurs ouvrages : *The Beginning of the End*, Paper, Tyndale House Publishers, Wheaton, IL ; 1972 ; *How to Study the Bible for Yourself*, Harvest House, 1976 ; *Revelation : Illustrated and Made Plain* revised, Zondervan, 1975 ; *No Fear of the Storm*, Zondervan, 1977 ; *The Power of the Cross*, Multnomah 1998 ; *The Merciful God of Prophecy*, First Warner Books, 2002. Voir d'autres ouvrages et articles disponibles sur leur site officiel http://www.leftbehind.com.

## Les frontières indéterminées de l'islam

L'islam se veut une religion universelle. En diffusant son appel au VIIᵉ siècle, le prophète et chef d'État Mahomet est entré en contact avec les autres nations. Les relations étaient belliqueuses dans certains cas, et pacifiques dans d'autres. Une vision islamique des relations internationales a pris forme. Les finalités de la guerre et de la paix, au sens religieux, ont été définies. C'est ainsi que les relations internationales ont pris un caractère conflictuel dans la vision islamique traditionnelle. Selon celle-ci, les tensions et les conflits entre les nations qui ont marqué l'histoire de l'humanité depuis l'Antiquité forment aussi l'histoire perpétuelle du conflit entre le bien et le mal. Les conflits nationaux et économiques sont des sous-modèles de ce grand conflit entre la Vérité et l'Erreur. D'après cette vision, l'histoire en général est celle des religions, dont l'islam représente la finalité.

Ce conflit perpétuel est aussi évoqué dans le Coran : « Et si ton Seigneur avait voulu, Il aurait fait des gens une seule communauté. Or, ils ne cessent d'être en désaccord entre eux. Sauf ceux à qui ton Seigneur a accordé miséricorde. C'est pour cela qu'Il les a créés. » (Hud, 118-119) C'est ce droit à la différence établi par le texte coranique qui a poussé les penseurs de l'islam à prôner le recours au Jihad (guerre sainte) comme droit de se défendre et de se protéger. Toutefois, l'appel au Jihad pour se défendre n'explique pas les conquêtes menées par les musulmans au temps de leur gloire militaire, d'autant plus que plusieurs versets coraniques vont dans le sens de la paix.

Cela étant, la vision du monde des penseurs classiques de l'islam est fondée sur la relation entretenue entre les musulmans et les non-musulmans. Cette vision met en évidence un concept important dans la science politique musulmane, la notion de la *Umma*. Ce terme coranique désigne la communauté des musulmans (*Ummat al Islam*, parfois *Ummat Muhammad*) prise dans son ensemble, dans le monde entier. Il est parfois traduit dans sa connotation politique par « nation » ou par « communauté » lorsqu'il s'agit de désigner l'aspect religieux et culturel. À partir de cette notion, une division du monde a été opérée :

- *Dar al-islam* désigne le domaine sous domination de l'islam ou domaine de la paix [*Salam*], les territoires régis par la législation islamique et où les musulmans constituent la majorité de la population, par opposition à *dar al-harb*.

- *Dar al-harb* désigne le domaine de la guerre, appelé aussi *dar al-kufr* [domaine de la mécréance], c'est-à-dire les territoires relevant de la compétence des non musulmans ou administrés par des gouvernements non musulmans qui n'ont pas conclu de pacte avec les musulmans.

- *Dar al-'ahd* désigne le domaine de la trêve ou du pacte. Les juristes musulmans définissent *dar al-'ahd* les pays de non-musulmans où ces derniers ont établi un pacte avec les musulmans sans payer d'impôt. Leurs territoires ne font partie ni de *dar al-islam* ni de *dar al-harb,* car ils ne sont pas en guerre contre les musulmans. Actuellement, le terme englobe tous les pays occidentaux qui ont conclu des pactes avec les pays musulmans. Certains *Ulémas* contemporains estiment que le monde musulman, ou *dar al-islam*, doit entretenir des relations avec les autres pays sous l'égide de l'ONU qui relève de *dar al-ahd*. Dans l'histoire contemporaine, des pays appartenant à cette aire culturelle non occidentale fondent leur vision politique sur le cléricalisme. Ces pays pourvoyeurs d'idéologies religieuses sont l'Arabie saoudite et l'Iran, qui ne séparent pas le religieux du politique, contrairement à la Tunisie et à la Turquie. Ils s'attachent plutôt à ce qu'on peut appeler la règle des trois D en islam : l'islam est *Din* (religion), *Dounia* (vie) et *Daoula* (État), avec tous les risques de l'instrumentalisation mutuelle entre le politique et le religieux. Nul doute que la vision du monde fondée par la religion est, elle aussi, provocatrice de plusieurs conflits.

## Conflits religieux et identitaires mondialisés

Face à la montée des discours et mouvements politiques à forte connotation religieuse, et à la croissance du nombre des conflits à caractère religieux ayant des incidences internationales, la question qui se pose est celle de l'avenir de la laïcité dans la pensée et les modes de vie. Au-delà de la controverse soulevée par la question, il est certain que la laïcité a perdu de son éclat devant la tendance croissante de la religion dans plusieurs régions du monde.

Dans l'espace hindou, les partis contestataires de la laïcité se font entendre plus qu'auparavant. Dans le monde musulman, il existe des forces qui se nourrissent de l'idée d'affronter l'Occident religieusement. Dans le monde occidental, les idéologies religieuses qui remettent en question les piliers de l'État laïque ou civique sont très critiquées. L'islam inquiète en raison de son insolubilité, affirmée par certains courants musulmans, dans la démocratie, l'islamophobie étant l'expression maladive de cette peur. C'est pour cela que le XXIᵉ siècle et ses conflits sont entamés avec des références culturelles puisées dans la religion. Certes, le temps des guerres de religions et des croisades est révolu, mais l'histoire est capable de reproduire certaines formes de ces conflits dans d'autres conditions et circonstances.

## La mouvance d'Al Qaïda

Mouvement à forte rhétorique religieuse, Al Qaïda constitue un acteur pesant dans les relations internationales déjà fortement militarisées. Elle s'inscrit dans cette double lutte contre l'hégémonie des États-Unis et contre la domination des référents occidentaux sur le monde de l'islam. Recruteur des jeunes combattants musulmans avec le pouvoir saoudien lors de l'invasion soviétique de l'Afghanistan (1979-1989), Oussama ben Laden agit alors de concert avec les stratèges américains. Or, une fois les Soviétiques vaincus, la bataille contre les « athées » soviétiques fait place à celle contre les « impies » américains. En 1998, le monde assiste à une internationalisation du Jihad de Oussama ben Laden. Ce dernier émettra un mémorandum historique demandant le retrait des « mécréants de la péninsule arabique » et la création d'un « Front international islamique pour le combat contre les juifs et les croisés ». Cette ambition de domination du religieux dans l'espace musulman pousse l'intellectuel tunisien Hamadi Redissi à se demander si l'islam est la dernière religion qui refuse de libérer la politique de son emprise[18].

---

[18] Hamadi REDISSI, *L'Exception islamique*, Paris, Seuil, 2004.

*Liban : la coexistence mouvementée
des communautés religieuses*

Le cas de la guerre du Liban (1975-1990) est l'exemple typique des confrontations sanglantes qui s'appuient sur des considérations confessionnelles et religieuses, même si les causes profondes pourraient être autres, économiques et politiques par exemple. Cette guerre trouve ses racines entre autres dans les relations entre les communautés musulmanes sunnites, chiites et druzes, et chrétiennes de confessions catholique, orthodoxe ou autre. Le conflit religieux interlibanais a des similitudes avec les conflits de la Côte d'Ivoire, de l'Éthiopie, de l'Érythrée, du Nord et du Sud soudanais, ainsi qu'ailleurs en Afrique ou en Inde. Ces conflits sectaires et confessionnels s'inscrivent dans le cadre des rivalités entre les grandes puissances et de leurs alliances et contre-alliances dans les sphères à la fois nationale et régionale.

*Chiites et sunnites en Irak : dans l'œil du cyclone*

La guerre confessionnelle en Irak, qui a éclaté à la suite de l'intrusion militaire américaine et celle de ses alliés ainsi qu'à l'effondrement du régime de Saddam Hussein, est nourrie par une rivalité entre des puissances sunnites arabes soutenues par d'autres et le régime chiite iranien pour le leadership du monde musulman. Des dirigeants sunnites accusent l'Iran et d'autres groupes chiites de tenter la création d'une réalité géopolitique en leur faveur : ils l'appellent « le croissant chiite » qui a pour but d'encercler les régimes sunnites arabes et non arabes. D'ailleurs, le pouvoir iranien est soupçonné d'adopter une stratégie de renforcement des communautés chiites dans le monde. Ce pouvoir se fonde sur le principe de *Wilayet al faqih*, le pouvoir de jurisconsulte, donc un pouvoir clérical franchement confessionnel de l'école du chiisme duodécimain qui se veut une référence religieuse et politique pour l'ensemble des chiites, particulièrement pour ceux qui croient à l'État mahdiste ou au retour de l'Imam disparu pour imposer la justice. Les discours religieux messianiques deviennent salutaires puisqu'ils sont porteurs d'un message de délivrance. Leur rhétorique ne peut donc qu'exacerber la rupture du lien entre le citoyen et l'État-nation entraînée par la modernité. Il faut préciser que des luttes politiques et idéologiques pareilles entre factions sunnites et chiites se déroulent également au Liban, au Bahreïn, au Koweït, au Yémen, en Afghanistan et au Pakistan.

## Jérusalem, lieu de symboles explosifs

Jérusalem, *Ûrshalîm* : *Al Quds, Bayt Al Maqdess* en arabe et *Yerushalayim* en hébreu, la ville sainte, occupe une place importante dans l'imaginaire juif, chrétien et musulman. Elle était et est toujours le lieu de rivalités et de confrontations diplomatiques et guerrières. Elle abrite les lieux saints des trois monothéismes. Pour les juifs, elle a été la capitale du royaume du roi-prophète David. Elle abrite le Mur des Lamentations, vestige du

Temple de Jérusalem. Les Israéliens exercent de fortes pressions politiques et démographiques pour obtenir la reconnaissance diplomatique qu'elle est la capitale de leur État fondé en 1948. Pour les chrétiens, c'est la ville de leurs lieux saints, du Saint-Sépulcre, du Golgotha, du mont des Oliviers, de Gethsémani, du Cénacle de Jérusalem au mont Sion et de la basilique Sainte-Anne qui a été le théâtre d'un épisode important de la vie de Jésus. Pour les musulmans, c'est la ville qui abrite la Mosquée Al-Aqsa, troisième lieu sacré en importance. Sa libération est d'ailleurs un facteur de mobilisation dans le monde de l'islam. À titre symbolique, les Palestiniens ont appelé leur rébellion de 2000 *Intifidat al Aqsa*. Dans l'eschatologie musulmane, la ville de Jérusalem sera le théâtre de l'apocalypse : elle verra le retour du Messie Jésus qui fera la prière avec les musulmans, marquant ainsi l'unité des religions. C'est au nom de la libération de cette ville que les croisades chrétiennes ont été mobilisées entre 1095 et 1272. Aujourd'hui, la ville sainte est revendiquée par les juifs. Israël la considère comme sa capitale éternelle réunifiée en faveur de la guerre de juin 1967. Toutefois, l'ONU n'a jamais reconnu l'annexion de Jérusalem. Tandis que les Palestiniens veulent en faire la capitale de leur futur État, le Vatican appelle à la considérer comme une ville ouverte.

*Survol d'autres conflits au nom des dieux*

Le XX^e siècle et le début du XXI^e ont connu d'autres conflits sur la base de différences religieuses, comme le retour en force de l'influence de l'Église orthodoxe en Russie après la chute du soviétisme, les tensions entre catholiques et orthodoxes en Ukraine, le conflit entre chrétiens arméniens et musulmans azéris dans le Haut Karabakh, une région autonome de l'Azerbaïdjan, et en Indonésie où le Timor oriental majoritairement chrétien est devenu indépendant sur une base religieuse.

D'autres conflits méritent également notre attention. Le conflit en Tchétchénie met en évidence une autre difficulté pour le monde musulman : les séparatistes musulmans tchétchènes mènent une rébellion contre l'État russe en vue d'une séparation, mais toute la question est de savoir si les États islamiques doivent aider les combattants tchétchènes parce qu'ils sont musulmans, ou s'ils doivent normaliser leurs relations avec la Russie. À l'île de Mindanao aux Philippines, un groupe islamiste radical indépendantiste (MAILF) envisage la séparation de l'île pour fonder un État islamique. De même, il ne faut pas oublier que l'épuration ethnique contre les musulmans dans les Balkans a eu des conséquences horribles dans la région. Il existe toujours un conflit entre catholiques et protestants irlandais, animés par une haine nourrie au fil des siècles, tout comme entre les hindous et les sikhs, entre les musulmans et les hindous en Inde et au Cachemire. À cela s'ajoutent la rébellion chiite au nord du Yémen menée par le mouvement pro-iranien d'Al Houthi contre le pouvoir central et la rébellion sunnite au sud du pays, l'opposition à Chypre entre les musulmans turcs et les orthodoxes grecs, celle entre musulmans et chrétiens au Nigeria et le conflit ethnique en Côte d'Ivoire qui s'appuie sur des dissensions religieuses. Ces exemples, et plusieurs autres encore, montrent que le religieux est largement ancré dans les structures politiques et qu'il sous-tend encore de nombreux affrontements.

L'exemple des buddhas de Bamiyan est aussi frappant. En mars 2001, la destruction au nom de l'islam par des Talibans de ces deux statues géantes, considérées comme des idoles et donc interdites, a suscité plusieurs réactions d'indignation partout dans le monde. Cet événement a plongé encore l'Afghanistan des Talibans dans l'isolement international avant leur éviction du pouvoir en 2002. Nul doute enfin que l'inacceptation ou le rejet de l'adhésion de la Turquie à l'Union européenne cache un problème religieux. Le non européen, justifié par un argumentaire chrétien, à une Turquie musulmane est clairement affiché et défendu par plusieurs acteurs en Europe qui craignent une islamisation du Vieux Continent.

Il est important de signaler que la nature complexe des relations internationales a renforcé la conviction au sein de la communauté internationale de la supériorité de l'Occident, de l'écrasante victoire de sa civilisation, perçue comme un foyer chrétien malgré sa sécularisation, et même de l'incapacité à lui faire face, d'où l'utilité de la prendre comme modèle. Dans cette perspective, la religion constitue un refuge pour les mouvements religieux islamiques, ceux qui contestent cette supériorité.

Le retour de la religion dans les relations internationales n'implique nullement un recul du rôle du politique, du militaire et de l'économique, mais plutôt la création de conditions nécessaires à des décisions politiques qui tiennent compte de l'influence de la religion dans les résolutions des conflits : la religion peut aider à comprendre les crises et les enjeux politiques et jouer un rôle de médiatrice. Elle peut être utilisée positivement et œuvrer pour la promotion de la paix. Elle peut même constituer un remède pour les conflits religieux. C'est ainsi que plusieurs institutions s'activent diplomatiquement sur le plan international pour promouvoir la paix, comme Sant' Egidio ou la Conférence Mondiale des Religions, réseau de croyants de différentes religions formé afin de promouvoir la paix et accrédité auprès de l'ONU.

Par son caractère transfrontalier, multiethnique, transculturel et donc universel, la religion pourrait jouer un rôle dans l'émergence d'une société civile mondiale. Il lui faudrait pour cela répondre aux défis posés par la modernité, les chartes universelles, les critères internationaux des droits de la personne et la mondialisation. Le cas échéant, on pourrait parler de l'émergence d'une religion civile mondiale, fondée sur la liberté de la pensée, la croyance et le respect de la dignité humaine : un nouvel humanisme du XXIe siècle. Dans le cas contraire, elle devient une source inépuisable et instrumentalisée de conflits.

## 3

# LE DIALOGUE INTERRELIGIEUX : LA RECOMPOSITION DES PARAMÈTRES

Le but de ce chapitre est de rendre compte de l'état du dialogue interreligieux à partir de l'exemple du dialogue islamo-chrétien. Il n'est pas tant question ici d'un dialogue sur les doctrines, même si les divergences doctrinales entrent en ligne de compte, que d'un dialogue sur les possibilités de reconnaissance mutuelle et de coexistence dans l'espace public des différentes confessions. Dans cette perspective, il est nécessaire de discuter d'abord de la notion de tolérance et de son corollaire, la liberté, notions qui chapeautent d'ailleurs toute forme de dialogue. Nous nous pencherons également sur la notion de citoyenneté, qui présente elle aussi quelques difficultés sur le plan conceptuel.

## Citoyenneté, liberté, tolérance : des notions occidentalo-centristes ?

Il semble que la notion de tolérance prenne de plus en plus de place dans l'espace culturel occidental, et particulièrement au Québec. D'ailleurs, les « accommodements raisonnables », un principe caractéristique de la laïcité dans sa forme québécoise, découlent foncièrement de cette notion de tolérance. Dans cette perspective, elle est perçue comme une vertu de la société pour vivre en commun de manière harmonieuse. Il est difficile de définir la notion de tolérance sans être piégé par le paradoxe de la tolérance de l'intolérable et surtout de l'intolérant. En outre, une tolérance poussée au paroxysme nuirait certainement au dialogue, en menant à l'abstention d'émettre des opinions sur ce que l'on ne cautionne pas. Du coup, des limites dans la définition s'imposent.

La tolérance est décrite par Voltaire comme « l'apanage de l'humanité » et comme « la première loi de la nature[1] ». L'un des textes fondateurs de cette notion reste celui de Lessing, écrit en 1779 et intitulé *Nathan le Sage*[2]. À travers la parabole dite des trois anneaux, Lessing appelle à la tolérance entre les trois religions monothéistes par la suspension de la prétention à la Vérité absolue. Ce texte pourrait certainement être relu avec intérêt aujourd'hui. En le transposant dans le contexte actuel, on y ajouterait des anneaux afin de représenter tous les citoyens, qu'ils soient religieux ou non, athées ou agnostiques. Cette vision se distingue de celle de Locke, lequel ne concevait pas l'existence des athées ou d'adhérents à une religion autre que celle de

---

[1] Voltaire, *Dictionnaire philosophique*, Paris, Flammarion, 1964, coll. GF, n° 28, p. 362.
[2] Gotthold Ephraim Lessing, *Nathan le Sage*, Paris, Gallimard, 2006.

l'Église qu'il appelle une « société libre et volontaire[3] ». Dans son projet de contrat social, Rousseau, pour sa part, considère qu'on ne doit pas obliger les citoyens à faire connaître leurs croyances au peuple souverain, dans la mesure où ils sont de bons citoyens[4]. Cette condition oblige Rousseau à tracer les contours d'une religion civile, « une profession de foi purement civile[5] », qui observe la conduite des citoyens et non leurs croyances, ce qui sera d'ailleurs repris par l'article X de la Déclaration universelle des droits de l'homme et du citoyen de 1789 : « Nul ne doit être inquiété pour ses opinions, même religieuses, pourvu que leur manifestation ne trouble pas l'ordre public établi par la Loi. »

Ces penseurs et d'autres n'ont pas esquissé clairement ce qu'il en était de la tolérance à l'égard des intolérants, comme l'a fait John Rawls[6]. Ce dernier aborde cette question à partir de l'idée de la stabilité d'une société régie par les deux principes de sa théorie de justice. « En premier lieu : chaque personne doit avoir un droit égal au système le plus étendu de libertés de base égales pour tous qui soit compatible avec le même système pour les autres. En second lieu : les inégalités sociales et économiques doivent être organisées de façon à ce que, à la fois, (a) l'on puisse raisonnablement s'attendre à ce

---

[3] John LOCKE, *Lettre sur la tolérance*, Paris, Presses Universitaires de France, Quadrige, 1999, p. 17.

[4] Jean-Jacques ROUSSEAU, *Du contrat social*, Paris, Flammarion, 1992, coll. GF, p. 166.

[5] *Ibid.*

[6] John RAWLS, *Théorie de la justice*, Paris, Points, 2009, p. 252-257.

qu'elles soient à l'avantage de chacun et (b) qu'elles soient attachées à des positions et à des fonctions ouvertes à tous[7]. » Pour Rawls, ces principes « précisent les termes de la coopération entre les personnes[8] » et « définissent un pacte pour la conciliation des diverses religions et croyances morales, et des formes de culture auxquelles elles appartiennent[9] ». Là où ils sont bien implantés, l'apparition d'une secte intolérante ne représente pas une menace considérable pour le contrat social, à condition qu'elle ne soit pas assez puissante pour imposer son diktat. Car dans ce contexte, une telle secte « aurait tendance à perdre son intolérance à reconnaître la liberté de conscience[10] ». Autrement dit, des institutions justes limitent la portée de l'appel à l'intolérance et garantissent la stabilité dans la société.

C'est au nom de la notion de la liberté que la tolérance est exigée dans les sociétés modernes. Du point de vue conceptuel, l'ouvrage de John Stuart Mill[11] sur la liberté est une œuvre majeure. Mill y esquisse une conception générale de la liberté englobant « le domaine intime de la conscience qui nécessite la liberté de conscience au sens le plus large : liberté de penser et de sentir, liberté absolue d'opinions et de sentiments sur tous les sujets, pratiques ou spéculatifs, scientifiques, moraux

---

[7] *Ibid.,* p. 91.
[8] *Ibid.*, p. 257.
[9] *Ibid.*
[10] *Ibid.*, p. 255.
[11] John Stuart MILL, *De la liberté*, Paris, Gallimard, coll. Folio-Essais, 1990.

ou théologiques[12] ». Mill va encore plus loin en faisant du respect total de ces libertés le corollaire d'une société libre[13]. De même, Spinoza conçoit la liberté de penser comme la condition du politique et de l'État libre[14]. La Déclaration des droits de l'homme et du citoyen de 1789, fruit de tous ces débats et fille légitime de la philosophie des Lumières, reprend, dans son article XI, les mêmes libertés, les établissant dans la sphère de la Loi : « La libre communication des pensées et des opinions est un des droits les plus précieux de l'Homme : tout Citoyen peut donc parler, écrire, imprimer librement, sauf à répondre de l'abus de cette liberté, dans les cas déterminés par la Loi. »

Certainement, la position prise par un philosophe ou un autre dépend plus du paradigme choisi : le paradigme naturaliste[15], par exemple, donne aux humains des libertés et des droits inaliénables en tant qu'humains. Il a formulé aussi la restriction de cette liberté par l'obéissance comme postulat de base du passage de l'état naturel à la société civile : l'obéissance à la majorité, comme chez Rousseau, à la monarchie absolue, comme chez Hobbes, ou à l'État, tant que cette obéissance ne met pas la liberté et la propriété en péril comme chez Locke.

---

[12] *Ibid.*, p. 78.

[13] *Ibid.*, p. 79.

[14] Spinoza, *Traité théologico-politique*, Paris, Flammarion, 1965, coll. GF, p. 327.

[15] Le paradigme naturaliste englobait toutes les thèses avancées par les philosophes du XVIIIe siècle, celui des Lumières, comme Hobbes, Locke et Rousseau.

Quant aux philosophes modernes, plusieurs d'entre eux ont exprimé la difficulté de définir clairement les contours de la notion de liberté. Isaiah Berlin, avant de traiter cinq grands penseurs de « traîtres[16] » de la liberté, explique ainsi sa réticence :

> Dans la version originale de *Two Concepts of Liberty*, je parle de la liberté comme de l'absence d'obstacles à la réalisation des désirs de l'homme. [...] Si les degrés de liberté dépendaient de la satisfaction des désirs, je pourrais accroître cette liberté aussi bien en éliminant les désirs qu'en les satisfaisant ; je pourrais rendre les hommes (y compris moi-même) libres en les conditionnant à renoncer aux désirs que j'ai décidé de ne pas satisfaire[17].

Autrement dit, selon lui, la relation entre liberté et désir risque de réduire ou de gonfler la bulle de liberté, indépendamment de la bonne volonté du vivre en commun dans une communauté de citoyens de différentes confessions et croyances.

Rawls, en évitant de donner une définition philosophique à la liberté, se réfère à trois éléments pour expliquer ce concept : « Les agents qui sont libres, les restrictions ou les limitations dont ils sont libérés, ce qu'ils sont libres

---

[16] Isaiah BERLIN, *La liberté et ses traîtres*, Paris, Payot, 2007. Les cinq penseurs en question sont Helvétius, Rousseau, Hegel, Saint-Simon et Maistre.

[17] Traduction de Isaiah BERLIN, *Four Essays on Liberty*, Oxford : Oxford University Press, 1969, p. xxxviii.

de faire ou de ne pas faire[18] », ceci après avoir énuméré les libertés de base qui doivent être égales pour tous dans un État de droit. Pour Rawls, parmi ces libertés de base, on retrouve les libertés politiques classées par ordre de priorité[19] : la liberté d'expression, de réunion, de pensée et de conscience ; la liberté de la personne ; le droit de propriété personnelle et la protection à l'égard de l'arrestation et de l'emprisonnement arbitraires[20].

Le philosophe canadien Will Kymlicka affirme que la liberté « implique la possibilité de choisir entre plusieurs options, et notre culture sociétale ne se contente pas simplement de nous offrir ces options, elle leur donne aussi un sens pour nous. Les individus choisissent parmi les pratiques sociales qu'ils trouvent autour d'eux, à partir de leurs croyances concernant la valeur de ces pratiques (croyances qui, comme je le disais, peuvent être infondées). Croire en outre en la valeur d'une pratique, c'est tout d'abord comprendre le sens que notre culture y attache[21] ». La liberté est donc, pour ce philosophe libéral, conditionnée par la culture environnante. Mais

---

[18] John RAWLS, *Théorie de la justice*, p. 238.

[19] Cette question des libertés de base et de leur priorité a soulevé de fortes réactions après la sortie de *Théorie de la justice* en 1971, surtout de la part de H.L.A. Hart dans son article « Rawls on Liberty and its Priority », paru dans Norman DANIELS, *Reading Rawls*, New York, Basic Books, 1975. Rawls lui-même va prendre en considération les critiques de Hart pour essayer de combler les lacunes de son analyse des libertés de base et de leur priorité. Voir John RAWLS, *Justice et démocratie*, Paris, Seuil, 1993, p. 155-202.

[20] *Ibid.*, p. 92.

[21] Will KYMLICKA, *La citoyenneté multiculturelle : Une théorie libérale du droit des minorités*, Montréal, Boréal, 2001, p. 123-124.

encore faut-il définir cette culture sociétale, car, avec l'arrivée des immigrants dans une société, il est de plus en plus difficile de parler d'une culture sociétale homogène.

Aussi faut-il dire que certains problèmes se posent lors de l'application de ces libertés dans des sociétés comme le Québec. La liberté d'expression, par exemple, a créé un certain embarras lors de la crise des caricatures du Prophète au Danemark. L'exemple de Dieudonné, humoriste et homme politique français qui s'est attiré des accusations de racisme et d'apologie du terrorisme, est aussi frappant[22]. Il est certain que le Québec, vu sa politique d'ouverture, est encore favorable à l'immigration issue de sphères culturelles différentes, ceci pour plusieurs raisons, d'ordre économique et démographique principalement. Par conséquent, le « vivre ensemble » au Québec ne signifie plus le partage des mêmes repères identitaires ou des mêmes références culturelles et religieuses, d'où la nécessité de penser autrement le pluralisme culturel. Les propos du philosophe canadien James Tully sont éclairants à ce sujet :

> Les citoyens ont un sentiment d'appartenance et d'identification à une association constitutionnelle dans la mesure où, premièrement, ils ont leur mot à dire dans la formation et la conduite de l'association et, deuxièmement, ils assistent à la reconnaissance et à l'affirmation publique de leurs propres usages

---

[22] Voir entre autres les articles suivants : « Dieudonné s'empêtre dans l'antisémitisme au nom des Noirs », *Le Monde*, 21 février 2005 et « Finalement, Dieudonné n'est *pas raciste*, s'amende le B'nai Brith », *Le Devoir*, 19 juillet 2004.

culturels à l'intérieur des institutions de base de leur société[23].

Le changement sociétal se répercute dans la sphère politique, qui doit dépasser ses sphères d'intervention traditionnelles pour contenir les revendications identitaires et religieuses. La question de la nature de la citoyenneté se trouve alors posée. En effet, comme le dit Diane Lamoureux, « ce qui caractérise fondamentalement la notion moderne de citoyenneté – et l'associe étroitement à celle de la démocratie – c'est la capacité de participer à la vie du corps politique[24] » et, comme le souligne Joseph Yvon Thériault, la citoyenneté est aussi « une modalité particulière d'intégration sociale, [...] une factualité propre aux sociétés modernes[25] ». Le citoyen n'est donc plus considéré seulement comme un contribuable ; il « n'est plus vu uniquement comme un bénéficiaire de droits et libertés, mais aussi comme un participant actif à leur définition au sein d'un espace délibératif[26] ». Fondement de l'État de droit, la citoyenneté se trouve en relation d'influence réciproque avec le politique et le social.

---

[23] James Tully, *Une étrange multiplicité : Le constitutionalisme à une époque de diversité*, Québec, Les Presses de l'Université Laval, 1999, p. 193.

[24] Diane Lamoureux, « La citoyenneté : de l'exclusion à l'inclusion », dans Dominique Colas, Claude Emeri et Jacques Zylberberg (dir.), *Citoyenneté et nationalité. Perspectives en France et au Québec,* Paris, Presses Universitaires de France, 1991, p. 55.

[25] Joseph Yvon Thériault, « La citoyenneté : entre normativité et factualité », *Sociologie et sociétés,* n° 2, vol. 31, automne 1999, p. 8.

[26] François Houle, « La communauté partagée. Patriotisme et sociétés pluralistes », *Politiques et Sociétés* (Enjeux contemporains du républicanisme), vol. 20, n° 1, 2001, p. 110.

## Le dialogue interreligieux
## aux bons soins de la diplomatie

Le dialogue interreligieux s'est imposé sur la scène mondiale comme nécessaire à la paix mondiale, comme cela a été énoncé par Hans Küng : « Pas de paix mondiale sans paix religieuse... et pas de paix religieuse sans dialogue entre les religions[27]. » La nécessité de vivre avec un autre religieusement différent a succédé aux rapports conflictuels entretenus par les religions monothéistes pendant des siècles, ce qui a imposé l'idée d'un dialogue critique.

Le dialogue des religions peut prendre forme dans plusieurs types de discours. Le discours éthique met l'accent sur les valeurs morales partagées par les religions, alors que le discours consensuel est en quête de convergences et de correspondances doctrinales, rituelles et dogmatiques, ignorant toutefois les divergences latentes. Le discours des institutions religieuses officielles, tels le Vatican ou le Conseil des Évêques pour les catholiques romains, ou officieuses, comme l'Université d'Al Azhar en Égypte, peut dépendre du climat politique du pays d'appartenance. Le discours fondamentaliste, pour sa part, cherche davantage à influencer l'autre qu'à concevoir une relation harmonieuse avec lui. Par exemple, Stanley S. Samartha rapporte les propos d'un participant hindou à un dialogue interreligieux. L'hindou s'adressant aux chrétiens avance que :

---

[27] Ces phrases sont devenues célèbres, car Küng commence par elles son ouvrage *Projet d'éthique planétaire : La paix mondiale par la paix entre les religions*, Paris, Seuil, 1991.

Jusqu'à il y a quelques années, et encore souvent aujourd'hui, vos relations avec nous se limitaient au plan social ou à la prédication afin de nous convertir à votre dharma [...]. Les principaux obstacles à un dialogue véritable sont, d'une part, un sentiment de supériorité et, d'autre part, la crainte de perdre son identité[28].

L'objectif des lignes qui suivent est de mettre en évidence les difficultés qui rendent compte de la vacuité d'un tel dialogue dans ses formes actuelles, et de proposer quelques solutions pour le rendre plus réaliste, efficace et engagé. Le sujet est d'autant plus pertinent que le Québec connaît de plus en plus d'individus et de groupes qui se positionnent en tant que religieux : chrétiens orientaux, sikhs, catholiques, musulmans, par exemple. Nous chercherons aussi à démontrer l'impossibilité du dialogue interreligieux hors de la réflexion sur la citoyenneté, notion centrale de la modernité politique.

Mais avant de voir les difficultés de ce dialogue, il est utile de mettre en évidence deux engagements internationaux qui touchent la religion et le dialogue. La Déclaration universelle sur la laïcité au XXIe siècle et le Sommet onusien sur le dialogue interreligieux représentent deux options idéologico-politiques inspirées de la modernité.

La Déclaration universelle sur la laïcité au XXIe siècle, un engagement philosophico-politique correspondant à la modernité des cultures, et le Sommet onusien sur

---

[28] Stanley S. SAMARTHA, « Dialogue as a Continuing Christian Concern », dans John HICK and Brian HEBBLETHWAITE, *Christianity and other Religions*, London, Collins, 1980, p. 162.

le dialogue interreligieux, un engagement politique et géopolitique, sont significatifs et représentatifs de l'engagement mondial dans la réflexion sur les religions et leurs dialogues, passage obligé pour consolider les acquis de la Charte universelle des droits de la personne.

## Vers une reconnaissance de la religion dans la sphère publique

La Déclaration universelle sur la laïcité au XXIe siècle a été signée par plus de 120 universitaires de différents pays, dont Jean Baubérot, professeur à l'École pratique des hautes études de Paris, et Micheline Milot de l'Université du Québec à Montréal, en décembre 2005, année marquant le centenaire de la loi de séparation des Églises et de l'État. Cette déclaration considère la laïcité comme une valeur universelle et partagée, au-delà de son acception française et occidentale et des divergences religieuses et linguistiques. Elle « n'est donc l'apanage d'aucune culture, d'aucune nation, d'aucun continent » (Art. 7 de la Déclaration). Un des points importants de la Déclaration est celui de la reconnaissance de la religion au sein de la sphère publique : « Les religions et les groupes de convictions peuvent librement participer aux débats de la société civile. En revanche, ils ne doivent en aucune façon surplomber cette société et lui imposer *a priori* des doctrines ou des comportements. » (Art. 2) On constate ici un saut qualificatif dans la défense de la laïcité, qui se trouve *défrancisée*, désoccidentalisée et refondée, puisque ses bases ne sont plus anticléricales.

Cette laïcité ouverte, qu'on retrouve dans le rapport final de la Commission Bouchard-Taylor, vise-t-elle à consolider l'ascendance de la laïcité dans la gestion de l'État ou au contraire à la vider graduellement de son sens premier projetant la séparation de l'État et de la religion, cela en la contraignant justement à faire des concessions pour que le religieux réinvestisse l'espace étatique ? Permettra-t-elle de penser une autre forme d'alliance de paix entre Croissant, Croix et Étoile en faveur de la modernité ? Cette alliance ne peut se faire en dehors d'un humanisme séculier capable de fonder la reconnaissance de l'Autre. Or, jusqu'à maintenant, cet humanisme se heurte aux carences du dialogue interreligieux, qui demeurera vain tant qu'il ne sera pas inscrit dans les modalités de la modernité et qu'il ne prendra pas en compte le principe des droits de l'homme. Ces derniers, surtout dans un Occident sécularisé, comme le dit Marcel Gauchet, « vont s'imposer à la conscience collective comme le seul outil disponible pour penser la coexistence et guider le travail de la collectivité sur elle-même[29] ».

Les droits de l'homme constituent, actuellement, le seul référentiel commun disponible pour le dialogue interreligieux. Selon la Charte de l'ONU, ils s'inscrivent dans un processus de sécularisation de la sphère publique, européenne notamment, que l'on trouve dans d'autres chartes européennes précédentes, par exemple l'Édit de Nantes de 1598 et la Déclaration des droits de l'homme et du citoyen de 1798. La raison européenne s'est ainsi

---

[29] Marcel GAUCHET, *La démocratie contre elle-même*, Paris, Gallimard, 2002, p. 347.

préoccupée de la liberté de l'individu face à la religion autant que de l'État pour ses droits citoyens.

Le Sommet onusien de 2008 sur le dialogue interreligieux s'inscrit dans cette tentative de reconnaître l'Autre tout en essayant de dépasser les divergences.

## *Le Sommet onusien sur le dialogue interreligieux*

La conférence sur le dialogue interreligieux et la tolérance pour la paix, qui s'est tenue en novembre 2008 à l'ONU, a insisté sur la tolérance des cultures et religions comme outil de promotion de la paix en rejetant « l'utilisation de la religion pour justifier des meurtres d'innocents et des actes de terrorisme ». En dépit de l'esprit positif de la conférence, il faut signaler les divergences entre les interprétations des différentes religions et cultures sur plusieurs questions, particulièrement celles des droits de la personne, de la tolérance religieuse et de la liberté. À titre comparatif, il est opportun de tenter d'exposer les divergences majeures concernant les droits de l'homme. En fait, ce qui accentue les différences entre les droits de l'homme en terre d'islam et en Occident par exemple, ce sont les divergences sur le plan des deux référentiels distincts : l'un est moderniste et l'autre monothéiste islamique. Ainsi, en ce qui a trait au *droit à la liberté religieuse*, l'article 13 de la charte islamique des droits de l'homme stipule que « toute personne a droit à la liberté de conscience et de culte conformément à ses convictions religieuses ». La liberté de culte à laquelle fait allusion cet article est absolue. Pourtant, en islam, un non-musulman peut adhérer à n'importe quelle religion, mais un musulman qui se convertit à une autre religion est considéré, d'après plusieurs lectures, comme un apostat passible de la peine de mort. La question de la *ridda*, l'apostasie ou l'abandon de l'islam comme religion, a pris beaucoup d'importance dans les débats récents entre les intellectuels musulmans.

C'est dans cette perspective que l'ex-président américain George W. Bush a par exemple plaidé pour la liberté de culte : « la liberté inclut le droit pour chacun de pratiquer une religion comme il l'entend [...] ainsi que d'en changer ». De leur côté, les représentants européens ont insisté sur la suprématie des droits individuels de l'Homme de la part des Européens, tandis que le prince Saoud al-Fayçal, ministre saoudien de l'extérieur, a invité les différentes cultures à fonder des valeurs communes[30]. À ce titre, il est important de signaler l'appel au dialogue de l'Arabie saoudite wahhabite, où la vie socioculturelle n'est pas fondée sur le dialogue et où la liberté de culte est très limitée, pour ne pas dire inexistante.

## Les divergences doctrinales

Si les religions monothéistes forment un front commun contre ce qu'elles peuvent appeler « le Mal » représenté par l'athéisme, l'immoralité, la liberté sexuelle, l'avortement et l'homosexualité, les divergences de fond persistent. En effet, fondamentalement, une religion ne

---

[30] « ONU : un dialogue interreligieux encore timide », *Le Nouvel Observateur*, 14 novembre 2008.

peut en accepter une autre chronologiquement postérieure, comme le judaïsme qui n'accepte ni le christianisme ni l'islam, ce dernier n'étant pas, lui non plus, accepté par la religion chrétienne. Il faut signaler toutefois qu'en pratique, le concile Vatican II collabora amplement, au début des années 1960, à élaborer cette stratégie de dialogue en publiant des textes[31] qui appellent au dialogue avec l'Autre, entre autres avec les musulmans, et qu'il a créé des institutions consacrées à ce type de dialogue[32]. Au Québec, l'Assemblée des évêques catholiques du Québec appelle aussi au dialogue, qu'elle estime indispensable pour la justice et la paix[33]. L'islam n'accepte pas non plus les deux religions antérieures, les accusant d'altérer ou de falsifier leurs textes. Le christianisme et l'islam, plus particulièrement et malgré leurs racines abrahamiques, divergent en effet sur plusieurs dogmes de foi : l'unicité de Dieu, la Trinité, la prophétie de Mahomet, la crucifixion de Jésus et l'authenticité des livres sacrés.

La question du dialogue avec un Autre plus proche – pensons aux protestants et aux autres chrétiens ne relevant pas de Rome, comme certaines Églises orientales – passe avant le dialogue avec l'Autre musulman. De plus, le souverain pontife Benoît XVI insiste sur l'identité chrétienne

---

[31] Notamment *Nostra Ætate* ou la *Déclaration sur l'Église et les religions non chrétiennes* du concile Vatican II en 1965.

[32] Par exemple, le Secrétariat pour les non-chrétiens, créé par le pape Paul VI en mai 1964, et qui, depuis juin 1988, est remplacé par le Conseil pontifical pour le dialogue interreligieux.

[33] COMITÉ DES RAPPORTS INTERCULTURELS ET INTERRELIGIEUX DE L'ASSEMBLÉE DES ÉVÊQUES CATHOLIQUES DU QUÉBEC, *Le Dialogue interreligieux dans un Québec pluraliste*, Montréal, Médiaspaul, 2007, p. 83.

catholique dans le dialogue interreligieux. En effet, dans son discours du 15 mai 2006, au Conseil pontifical pour la pastoral des migrants, le pape avance que « les chrétiens sont appelés à cultiver un style de dialogue ouvert sur les problèmes religieux, en ne renonçant pas à présenter à leurs interlocuteurs la proposition chrétienne de manière cohérente avec leur propre identité ». Le pape réitère ce message pour une paix universelle et un dialogue interreligieux dans son pèlerinage en Terre Sainte en mai 2009.

En ce qui concerne l'islam, les divergences entre ses groupes et courants peuvent atteindre le degré de la violence sectaire. Le cas le plus illustre est celui de l'Irak où, sur la toile du chaos, se dessine le conflit religieux entre sunnites et chiites. L'histoire de la rancune y devient plus présente et est exacerbée par l'idéologisation du religieux. En outre, les conflits entre l'interprétation de la charia et les droits de l'homme sont multiples. La charia n'a pas permis d'abolir carrément et expressément l'esclavage, même si ses règles font de la libération d'un esclave converti un acte méritoire et récompensé. Les châtiments corporels (*hudûd*[34]) vont à l'encontre des

---

[34] Les *hudûd* sont des châtiments corporels ou des peines fixes visant précisément à empêcher les musulmans de commettre certaines irrégularités légales du point de vue de la charia. Il y a dix *hudûd* correspondant à dix péchés principaux, quatre d'entre eux sont cités dans le *Coran*, tandis que les six autres sont tirés de la *Sunna*. Entre autres, les péchés de fornication (*zina*), d'ébriété ou de diffamation, sont passibles de lapidation (*rajm*), celui du vol requiert l'amputation de la main, tandis que les péchés d'apostasie (*ridda*), d'homicide, d'adultère ou d'homosexualité entraînent la peine de mort. Historiquement en islam, les *hudûd* ont toujours suscité la controverse et leur application à la lettre n'était guère considérée.

droits de l'homme, mais sont prescrits explicitement par la charia. Peu de pays – l'Arabie saoudite et l'Afghanistan sous les Talibans en font partie – les considèrent dans leur règle de droit puisqu'ils ne correspondent plus à la morale de la majorité des musulmans d'aujourd'hui. Plus encore, en 2005, l'islamiste et islamologue Tariq Ramadan, dans un célèbre moratoire, a appelé à la suspension des châtiments corporels pour être plus « fidèle au message de l'islam à l'époque contemporaine[35] ».

La liberté de culte est également problématique dans ce contexte. En effet, le verset coranique édictant qu'il n'y a point de contrainte dans la religion ne peut pas faire oublier d'autres prescriptions coraniques discriminantes envers ceux considérés comme apostats, tel : « Quand vous rencontrerez les infidèles, tuez-les jusqu'à en faire un grand carnage. Et serrez les entraves des captifs que vous aurez faits. » (Coran 47 : 4) Il en va de même de la situation de la femme qui comprend la légitimité religieuse du port du voile. Ce dernier est sujet de débat jusqu'à aujourd'hui entre une mouvance majoritaire, soucieuse de préserver le voile de la femme comme un ordre divin, et une autre, religieuse aussi, mais dissidente, qui le rejette expressément. La polygamie perçue comme une injustice par la Déclaration des droits de l'homme de 1948, reste une pratique sauvegardée par les dispositions de la charia et perpétuée par le droit interne des pays de l'espace musulman. La

---

[35] Tariq RAMADAN, « Appel international à un moratoire sur les châtiments corporels, la lapidation et la peine de mort dans le monde musulman », 2005 ; http://www.tariqramadan.com/spip. php ?article258.

même perception s'applique à la procédure du divorce par l'homme et la demande du divorce par la femme[36], ainsi qu'à la question de l'héritage où la charia a institué un droit de la femme à hériter la moitié de la part du garçon.

En conclusion, il faut noter que ces sujets de controverse, aussi bien du côté chrétien que du côté musulman, constituent un blocage sérieux pour le dialogue islamochrétien, qui exige de respecter la liberté de conscience de l'interlocuteur. Ce dialogue est appelé à englober les droits de l'homme, seul garant du « vivre ensemble ».

## Le dialogue par-delà les divergences

Le retour du religieux sur la scène internationale[37] – avec toute la terminologie utilisée : de la « guerre des religions » au « choc des civilisations » en passant par la fin de l'histoire – a mis le dialogue interreligieux devant de nouveaux défis : l'impératif de se prononcer sur la violence exercée au nom d'une religion, les rapports

---

[36] Selon les dispositions de la charia, le divorce est une prérogative de l'homme. La femme ne peut en faire autant. Néanmoins, il existe d'autres dispositions qui permettent de déroger à la règle. Il s'agit de la *'isma,* qui est une procuration octroyée à l'épouse l'autorisant à divorcer selon sa volonté. Ce privilège doit être signifié explicitement dans le contrat de mariage. La femme peut alors entamer la procédure de divorce devant le juge sans consultation du mari. Il existe une autre façon en islam de protéger les droits de la femme dans le mariage, c'est le *khul'.* Cette notion est instaurée par le législateur en faveur de la femme qui peut entreprendre une procédure de divorce sans le consentement de son mari. Mais dans ce cas, elle renonce à ses droits et à ses acquis matériels.
[37] Voir le chapitre 2 dans le présent ouvrage.

entre majorité et minorités, le pluralisme sociétal et, ultimement, la laïcité de la scène publique.

Pourquoi certains mouvements religieux fondamentalistes n'ont-ils pas opté pour le dialogue pacifiste et ont-ils choisi le chemin de la violence comme voie de salut ? Cette question en amène une plus profonde : qu'est-ce qui pousse un groupe religieux prônant une religion monothéiste comme foi, comme loi et comme éthique, à verser dans la violence et dans l'intolérance ? Les exemples ne manquent pas : citons les mouvements jihadistes islamistes, les ultra-orthodoxes juifs en Israël et le fondamentalisme politico-religieux chrétien fanatique et violent, américain en l'occurrence. La réponse se trouverait dans le paradoxe posé par la pratique du politique en utilisant le dogme religieux. Ce paradoxe est fondamental puisque le champ du politique est partiel et relatif, alors que celui de la religion est absolu et détenteur de toute la vérité. Cette vérité religieuse, comme le soutient Pierre Manent, était autrefois considérée « comme principe d'unité et de communauté, avant de devenir le plus corrosif principe de division[38] ». Ses abus ont fait en sorte que la religion soit remplacée par la nation « comme grande chose commune[39] » dans l'espace européen, ce qui n'a pas évité à l'Occident de mener d'autres guerres, au nom de la nation cette fois.

D'autre part, le rôle de la religion comme fondatrice de l'identité culturelle et comme marqueur identitaire

---

[38] Pierre MANENT, *Enquête sur la démocratie*, Paris, Gallimard, 2007, p. 161.
[39] *Ibid.*

d'une société donnée peut-il être ignoré par le dialogue interreligieux ? Il faut se demander si le dialogue inter-religieux n'est pas bloqué sur cette question. L'exemple nous est fourni par la polémique autour des conversions au chiisme et au christianisme au Maroc en 2009 et 2010. L'État marocain a invoqué l'islam sunnite, dans sa variante rigoriste de la doctrine *achaârite*[40] et dans le rite malékite[41], comme marqueur identitaire exclusif des Marocains. Ce point ne peut être ignoré ou refoulé par le dialogue interreligieux. Un autre exemple nous est donné par le Maroc, mais dans une perspective plus ouverte sur l'autre, tout en mettant l'accent sur la reli-gion comme marqueur identitaire. En effet, lors de la visite du roi Hassan II du Maroc au Vatican au début des années 1980, le roi a été reçu dans la bibliothèque privée du pape Jean-Paul II. À cette occasion, le sou-verain marocain, Commandeur des croyants, a lancé l'idée d'une éventuelle visite du pape dans le royaume chérifien. « Sire, mais que ferais-je si je vais au Maroc ? Je ne pourrai pas prier avec les gens puisque votre État est purement musulman », s'interrogea le pape devant Hassan II. Ce dernier lui répondit : « Sainteté, vous avez une responsabilité qui est non seulement religieuse, mais aussi éducative et morale. » La réponse du souve-rain marocain met en évidence l'absence de dialogue interreligieux sur cette question de l'identité religieuse.

---

[40] École de la théologie spéculative (*kalâm*), rivale du mutazilisme (école rationaliste de l'islam), qui véhicule les idées philosophiques des *fouqahas* sunnites et leur métaphysique.

[41] Une des quatre écoles du droit musulman sunnite.

Enfin, le problème des minorités religieuses se pose à plusieurs niveaux que le dialogue interreligieux doit prendre en compte, d'autant plus qu'il concerne aussi les divergences au sein d'une même religion. Par exemple, les relations entre musulmans majoritaires et chrétiens orientaux minoritaires en islam ne peuvent être examinées à travers le prisme de la dhimmitude[42], qui confère aux juifs et aux chrétiens un statut inférieur. En outre, les relations entre chrétiens majoritaires et musulmans minoritaires, dans l'espace libéralo-démocratique occidental, ont pris naissance sans égard à la religion. Cette dernière n'a pas eu de rôle dans la consolidation du pacte ou du lien citoyen qui les unit dans leurs nouvelles identités. Le pacte citoyen invite tout le monde à une reconstruction identitaire dans un cadre juridique égalitaire et libéral reconnaissant le droit à la différence. Selon cette vision des choses, le dialogue, dans ses paramètres hors de la modernité politique, s'avère dépassé.

**Vers un terrain d'entente**

La notion de laïcité est intimement liée à un ensemble de concepts complémentaires, tels que la notion

---

[42] *Dhimmi* (protégé). Adepte de l'une des religions du Livre (judaïsme, christianisme, sabéisme) qui vit en terre d'islam sous la protection du califat, sujet à un impôt différent (*al jizia*), et privé de certains droits politiques comme la participation à l'armée. Les *dhimmis* ne traitaient pas avec les ennemis du pouvoir islamique et conservaient une autonomie religieuse et culturelle dans le respect de la loi islamique. Ce statut a suscité l'indignation dans les milieux chrétiens et juifs bien qu'il ait eu des aspects positifs comme leur protection physique à un certain moment.

de propriété, la citoyenneté, le contrat social, la tolérance, la liberté, le progrès, qui étaient caractéristiques du discours libéral des Lumières occidentales qu'on connaît.

C'est ainsi que la laïcité est devenue, par étapes, un pilier de la vie quotidienne en Occident et la base des constitutions occidentales : la religion n'est plus un fondement pour l'État, elle n'organise plus le statut personnel, intégré dans le code civil, et l'enseignement est sorti du giron de l'Église. Par conséquent, le *combat* entre christianisme et laïcité n'est plus une priorité publique même s'il est poursuivi par certains fondamentalistes, notamment américains, pour qui la politique est menée au nom de Dieu et pour Lui[43]. Gauchet avancera même que le christianisme est « la religion de la sortie de la religion[44] », tandis que Pierre Manent demande aux chrétiens de faire reconnaître le caractère public de leur religion à l'instar des juifs et des musulmans[45].

Lors d'une conférence organisée récemment à la Catholic University of America (CUA) par les facultés de théologie et d'études religieuses, de philosophie et de droit canonique, le cardinal Christoph Schönborn, archevêque de Vienne (Autriche), a même souligné que « le christianisme aussi a besoin de la voix critique de l'Europe laïque, qui pose des questions difficiles, parfois

---

[43] L'exemple le plus frappant est celui de George W. Bush qui se disait inspiré par Dieu dans ses décisions.

[44] Marcel GAUCHET, *Le Désenchantement du monde, Une histoire politique de la religion*, Paris, Gallimard, 1985, p. 2.

[45] Voir son entrevue avec Louis-André Richard, dans Louis-André RICHARD (dir.), *La nation sans la religion. Le défi des ancrages au Québec*, Québec, Presses de l'Université Laval, 2009, p. 47.

désagréables, des questions que nous ne saurions éviter ou fuir[46] ». Tandis que cette question de la laïcité apparaît dans les propos du pape Benoît XVI sous une forme plutôt « religieuse ». En effet, le discours du souverain pontife au Conseil pontifical pour les laïcs le 21 mai 2010, ne prenait en compte que les « fidèles laïcs[47] ». De plus, lorsque la laïcité est entendue non pas comme une séparation entre le religieux et le politique, mais plutôt comme une exclusion du religieux de la sphère publique pour le reléguer dans la sphère privée, il y a là un dérapage de la laïcité contre lequel Benoît XVI met en garde avec insistance. Tout en appelant les « fidèles laïcs » à s'engager et à faire valoir leur foi dans l'exercice de leurs devoirs citoyens. Pour le pape, la religion ne peut pas et ne doit pas avoir de pouvoir en matière de législation civile ou de désignation des représentants du peuple, mais elle peut poser certaines balises morales qui peuvent guider la raison étatique. Le dialogue entre les deux est donc essentiel. En outre, le pape est conscient de ce que le Vatican appelle l'affaiblissement de l'Église européenne, c'est pourquoi un conseil pontifical pour la nouvelle évangélisation a été créé pour contrer les formes de sécularisation et devra en principe, selon les termes du pape, « promouvoir une évangélisation renouvelée dans les pays où a déjà résonné la première annonce de

---

[46] Un compte-rendu de l'intervention du cardinal est accessible sur le site de l'agence d'information internationale Zenit : http://www.zenit.org/article-23490 ?l=french.

[47] La traduction française de ce discours par *L'Osservatore Romano* est accessible sur le site de Zenith, à http://www.zenit.org/article-24697 ?l=french.

la foi, mais qui vivent une sécularisation progressive de la société et une sorte d'éclipse du sens de Dieu[48] ».

Quoi qu'il en soit, la régulation de la sphère publique en Occident se fait depuis dans une logique séculariste et non plus religieuse. Il n'en est pas de même pour le judaïsme et l'islam, pour qui la question du rôle de la religion dans la gestion de l'État est importante et évoque la notion de pouvoir comme prérogative de la Puissance divine. Ceci bloque le débat sur d'autres points autour du droit civil, du droit à la différence et de la liberté de conscience, pierres angulaires du pluralisme religieux. Au-delà des perceptions d'un islam virtuel, de la meilleure communauté *Khayrou Oumattine*, ou d'un peuple juif élu de Dieu, d'une laïcité imposée, importée, ouverte ou fermée, il y a place pour une réflexion religio-laïque sur les discriminations ou l'exclusivisme, les exagérations des différences identitaires, la marginalisation de quelques catégories sociales, comme les femmes et les homosexuels, et la hiérarchie dans la citoyenneté.

On peut dire que ni la religion ni la laïcité ne sont des accidents de l'histoire. L'appel à la réflexion conjointe, à la considération de la fin de l'hostilité et de leur rejet mutuel pourrait faire cesser l'inféodation de l'État à la religion et mettre un terme à l'instrumentalisation de la religion. Religion et laïcité trouveront un terrain d'entente dans un dialogue qui pourrait assurer aux religieux leur épanouissement spirituel et moral, et qui permettrait

---

[48] Cité par Stéphanie Le Bars, « Benoît XVI à l'offensive contre l'affaiblissement de l'Église en Europe », *Le Monde* (International), vendredi 2 juillet 2010, p. 8.

à la laïcité de prouver qu'elle est garante de la liberté de conscience pour tout le monde. La laïcité serait un antidote aux effets pervers, contre l'instrumentalisation politique et autoritaire de la religion. Aussi la laïcité pourrait-elle être un garde-fou pour éviter la dérive de la religion vers le fanatisme. En effet, les promoteurs de la violence sectaire entretiennent des discours religieux cohésifs fermés, articulés notamment par l'exclusivisme et l'anathème, comme le discours exclusiviste d'Al Qaïda dans la société multiethnique et multiconfessionnelle irakienne, ou la rhétorique de la haine des milices chiites (Brigades Badr et armée al Mahdi). En d'autres mots, mettre la religion à l'écart des rivalités politiques serait salutaire pour la spiritualité religieuse elle-même.

Loin de tout pessimisme réducteur, il faut souligner que le dialogue interreligieux dans sa dimension islamo-chrétienne a cherché des points communs en vue de prôner un dialogue aux couleurs humanistes. En effet, en plus du rejet conjoint de toute forme de dépravation et d'irréligiosité, ces points concernent essentiellement l'aide aux peuples opprimés et la revendication de leurs droits, et le développement d'une culture de la tolérance religieuse remplaçant le fondamentalisme violent au nom de la foi. Il est donc clair que les religions rejoignent l'humanisme séculier[49] dans sa recherche de valeurs fondamentales qui peuvent être partagées par tout le monde, sans égard à la foi et aux convictions religieuses.

---

[49] Voir la notion de « d'étranger moral » dans le chapitre 4 du présent ouvrage.

# 4

# À LA RECHERCHE
# D'UNE SOLUTION QUÉBÉCOISE

Le Québec a fait le choix de la laïcité dans ses institutions, mais la population qui, depuis les années 1960, estime que la religion relève du domaine privé, s'inquiète des demandes d'accommodements dits raisonnables relatives à la pratique religieuse parce qu'elles rappellent « l'éternel conflit avec tout ce qui touche le religieux[1] ». La question des accommodements raisonnables est d'autant plus sensible qu'elle ouvre sur la phobie de perdre les valeurs, l'identité ou l'âme catholique québécoises. Certains auteurs, comme Martin Geoffroy de l'Université de Moncton, considèrent que la crise des accommodements raisonnables est « une crise juridique et politique que ni l'interculturalisme ni une laïcité ouverte ne pourront stopper[2] ». Autrement dit, l'encadrement des demandes doit être réglé par des lois et des règlements.

---

[1] Monique BEST, « L'imaginaire et le religieux, la métaperception des musulmans au Québec », *Cahiers de recherches sociologiques*, n° 46, septembre 2008, p. 121.

[2] Martin GEOFFROY, « La crise des accommodements raisonnables au Québec : de la jurisprudence à l'ingérence », *Études canadiennes*, vol. 65, décembre 2008, p. 57.

# Survol des questions d'accommodement au Québec

La fin de la décennie 2000 a vu une accentuation des événements se rapportant à l'islam et à ses symboles. En janvier 2007, la municipalité d'Hérouxville, en Mauricie, adopte un « code de vie » pour informer les « nouveaux arrivants que le mode de vie qu'ils ont abandonné en quittant leur pays d'origine ne peut se reproduire ici et qu'il exige un mode d'adaptation à leur nouvelle identité sociale[3] ». La demande est claire : on attend des immigrants qu'ils fassent une nouvelle migration culturelle en reconsidérant leur identité originelle.

En février 2007, le *hijab* a été interdit dans un tournoi de soccer intérieur à Laval par un arbitre musulman. La question porte plus sur la réglementation de la Fédération de soccer du Québec que sur un débat identitaire.

Lors des élections provinciales du printemps 2007, on a interdit aux femmes qui couvrent leur visage de voter, alors qu'elles avaient pu le faire lors des élections partielles du 17 septembre 2007 dans les comtés d'Outremont, de Saint-Hyacinthe-Bagot et de Roberval-Lac-Saint-Jean.

Depuis 2009, une polémique est engagée entre ceux qui sont contre le port du *hijab* (voile qui couvre les cheveux et le cou), du *niqab* (qui couvre le corps à l'exception des yeux) et de la *burka* (couvrant tout le visage et le corps). Les uns considèrent qu'ils « marginalisent les femmes » ou invoquent des raisons de sécurité, les autres les défendent pour des raisons religieuses ou

---

[3] Municipalité d'Hérouxville, *Code de vie d'Hérouxville*, janvier 2007.

purement libérales, c'est-à-dire qu'ils soutiennent que chacun a le droit de s'habiller comme il le veut[4]. En ce sens, lors d'une réunion interreligieuse à Nagpur en octobre 2010, en Inde, le chef de la communion anglicane, l'archevêque de Canterbury Rowan Williams, s'est prononcé en faveur du port de la *burka*. Il a exhorté les gouvernements européens à s'abstenir de légiférer sur ces questions en vue de respecter la double autonomie du religieux et du politique. Au Québec du moins, la controverse peut s'analyser selon trois dimensions :

*La dimension religieuse* : il s'agit de la peur de voir une autre religion, longtemps considérée comme rivale, gagner du terrain en sol québécois.

*La dimension féministe* : elle comprend la peur de voir les diktats religieux prévaloir sur la question des droits des femmes. Selon le professeur Patrick Snyder de l'Université de Sherbrooke, « pour les féministes, la défense de la primauté de l'égalité entre femme-homme sur la liberté religieuse est un enjeu crucial pour l'avenir des femmes dans le monde [...] le concept d'égalité femme-homme est centré sur la notion de dignité plutôt que sur une égalité de fait[5] », surtout pour le voile intégral que certaines féministes considèrent comme un ghetto ambulant[6].

*La dimension identitaire* : elle se définit comme la peur de voir le rêve d'un Québec *pur* et autonome se dissiper.

---

[4] Cette argumentation n'est pas aussi claire, car on ne peut pas par exemple se balader en exhibant ses parties génitales dans un espace public, ou les seins nus sur les plages canadiennes.

[5] *La Presse*, Cahier Plus, 7 novembre 2009, p. 10.

[6] « La présidente de *Ni putes ni soumises* plaide contre le port de la burka », *La Presse Canadienne*, 9 septembre 2009.

Cette dimension phobique est encore mise en exergue dans plusieurs études sur la perception des musulmans au Québec. Dans l'une d'elles, 40% répondent qu'ils ont peur des musulmans[7]. On peut faire un rapprochement entre cette statistique et l'affaire des minarets en Suisse. Le 29 novembre 2009, la Suisse organise un référendum sur l'interdiction des minarets sur son sol. Il faut dire que la communauté musulmane suisse est l'une des moins visibles dans les pays occidentaux et la plus européanisée. Pourtant, le vote a été guidé par la peur de l'islam. En effet, c'est à l'initiative du parti de l'Union démocratique du centre que le référendum a été organisé. Et pour guider l'élec-teur suisse, ce parti a utilisé des affiches représentant des minarets apparaissant comme des missiles, et des femmes portant la *burka* en train d'écraser le drapeau suisse.

Le flou règne donc dans la législation québécoise, qui doit suivre les changements sociaux imposés par l'arrivée d'immigrants d'autres cultures, particulièrement non européennes et non chrétiennes.

Il est important de dire que ce débat serait vain s'il n'aboutissait pas à une consolidation de la laïcité, sous une forme ou sous une autre. Par exemple, parler du *hijab* ou du *niqab* comme signes de l'infériorité de la femme ne servirait en rien le débat sur la consolidation de la laïcité, car on trouvera toujours des musulmanes éduquées et autonomes qui le considèrent comme un reflet de leurs croyances religieuses et comme un signe

---

[7] Monique BEST, « L'imaginaire et le religieux, la métaperception des musulmans au Québec », *Cahiers de recherches sociologiques*, n° 46, septembre 2008, p. 117-118.

de pudeur. Dans d'autres cas, on trouvera des musulmans non pratiquants s'opposant au port du voile mais dont les épouses portent le *hijab*. En plus, le débat sur son degré de religiosité n'intéresse que la communauté musulmane et n'appartient pas à une société laïque.

Il est vrai que la législation québécoise actuelle ne permet pas d'interdire le port d'un symbole religieux, d'autant plus qu'on se heurte aux chartes canadienne et québécoise des droits qui protègent les minorités et dans lesquelles la liberté de religion est garantie au même titre que les autres droits. Mais l'objectif de respecter la liberté de religion est parfois poursuivi au détriment du principe d'équité entre les droits des immigrants minoritaires et ceux de la majorité québécoise, favorisant un cloisonnement ethnique et religieux. Et, comme le dit l'avocat Jean-Claude Hébert dans un récent article de *La Presse* : au Québec, « une affirmation forte du principe de laïcité par l'Assemblée nationale pourrait utilement remplir un vide juridique et orienter la démarche des juges[8] ».

La laïcité présuppose, suppose ou même exige l'égalité citoyenne ainsi que l'égalité des sexes. Elle est avant tout un support de l'État neutre, un pilier du rationalisme, de la séparation des pouvoirs, et se dresse comme une cloison entre le public et le privé. C'est sous sa coupole qu'une *doxa* s'est formée au Québec. Mais le problème va se poser en Occident avec l'immigration massive depuis des pays plus attachés à leurs traditions religieuses. Ces pays ou régions, comme l'Afrique, l'Inde, l'Asie et le Moyen-Orient, ont été retranchés du

---

[8] *La Presse,* Cahier Plus, 31 octobre 2009, p. 6.

phénomène de la sécularisation qui s'est fait au rythme de l'Occident avec d'autres visions de la vie et de la société.

## Les communautés immigrantes
## face aux sociétés occidentales

Les communautés immigrantes dans les espaces libéralo-démocratiques sont invitées à s'intégrer dans un espace démocratique, à cautionner le pacte social en vigueur et à prêter serment de loyauté constitutionnelle, sans être contraintes de renier leur foi religieuse ou leur identité culturelle originelle.

Cela signifie que ces communautés se trouvent interpellées pour s'adapter aux nouvelles exigences de la vie en Occident, ce qui nécessite un effort d'accommodement de leur tradition. Effort d'autant plus grand que leurs compatriotes vivent des situations éprouvantes dans plusieurs pays. Par exemple, en France, après les événements de Grenoble[9] en juillet 2010, le président Nicolas Sarkozy propose que « toute personne d'origine étrangère qui aurait volontairement porté atteinte à la vie d'un fonctionnaire de police ou d'un militaire de la gendarmerie ou de toute autre personne dépositaire de l'autorité publique » soit déchue de la nationalité française, tandis que le ministre de l'Intérieur Brice Hortefeux veut

---

[9] Le 16 juillet 2010, Karim Boudouda, un braqueur d'origine arabo-musulmane de 27 ans, a été tué lors d'un échange de tirs avec la police dans le quartier de la Villeneuve à Grenoble. Sitôt après ont éclaté des émeutes violentes de la part de la population musulmane du quartier, en soutien au braqueur.

élargir les cas de déchéance à l'excision, la traite d'êtres humains ou d'actes de délinquance grave. Ce qui est nouveau dans l'espace libéralo-démocratique occidental. D'autant plus que dans l'article 4 de la Convention européenne sur la nationalité, entrée en vigueur en mars 2000 – que la France a signée le 4 juillet 2000, mais non encore ratifiée –, il est stipulé que « nul ne peut être arbitrairement privé de sa nationalité », comme l'un des principes sur lesquels sont fondées les règles sur la nationalité de chaque État (partie de la convention). Alors que l'article 5 stipule dans son alinéa 1 : « Les règles d'un État Partie relatives à la nationalité ne doivent pas contenir de distinction ou inclure des pratiques constituant une discrimination fondée sur le sexe, la religion, la race, la couleur ou l'origine nationale ou ethnique. »

Par ailleurs, au Pays-Bas, Geert Wilders, leader de l'extrême droite (avec 24 sièges au parlement contre seulement 9 dans le précédent), réclame solennellement le retrait de la nationalité néerlandaise aux « criminels » musulmans. D'une manière générale, le débat reste vif dans ces pays, cachant un malaise du vivre en commun. D'autant plus qu'il est alimenté par l'affaire de démantèlement des centaines de camps des Roms, entamé récemment en France, dans une perspective de politique sécuritaire sévèrement critiquée par l'Église catholique, revenue elle aussi dans les débats publics.

Cela étant, au Québec, les perceptions qu'ont les immigrants du modèle de vie québécois sont multiples et contradictoires. Salah Basalamah, président de Présence musulmane et professeur à l'Université d'Ottawa, déplore d'ailleurs une certaine insensibilité à ces différences :

Ce que nous trouvons bien souvent dans l'espace de la *doxa* québécoise, ce sont non seulement les éternelles appellations qui enferment les citoyen(ne)s dans l'un des aspects les plus réduits de la multidimensionnalité de leur être (immigrant, minorité, religion, ethnie, nationalité d'origine, etc.), mais également la généralisation des préoccupations sociales concernant les *nouveaux arrivants* à l'ensemble des citoyens qui, d'une manière ou d'une autre sont représentés comme *étrangers*, quelle que soit la profondeur de leur appartenance historique et culturelle au pays[10].

En fait, on peut dire qu'il existe premièrement une catégorie d'immigrants qui accepte les modalités idéo-juridiques et culturelles, se contentant des chartes canadienne et québécoise comme référentiel constitutionnel concernant leurs revendications religieuses, éducationnelles et politiques. L'association Présence Musulmane Montréal, qui a présenté à la Commission Bouchard-Taylor un mémoire intitulé *Plaidoyer pour un* Nous *inclusif* dans lequel elle appelle entre autres à la construction d'une laïcité respectant *la neutralité de l'État face aux différentes religions* au Québec, en offre un exemple. Il en va de même pour l'organisme Astrolabe qui a confirmé dans son mémoire son attachement profond aux libertés fondamentales garanties au Québec.

On retrouve également une classe d'immigrants plus soucieux de leur identité religieuse, exprimant leur crainte

---

[10] Salah Basalamah, « Identités et cultures : entre association et distinction », *Bulletin du SODRUS*, vol. 3, n° 2, printemps 2008, p. 4.

de la perdre. Cette hantise s'est accentuée après la formation du programme d'éthique et de culture religieuse qui risque, selon cette catégorie, de diluer son identité religieuse parmi les autres. Leurs tentatives d'intégration, si tentative il y a, constituent une mission laborieuse vu le tiraillement de leur identité originelle entre ce qui est de l'ordre du constant ou du dogme et ce qui est de l'ordre du variable. Ce tiraillement identitaire peut mener à un repli communautaire pour se protéger contre le risque de dilution. Ces identités essaient de garder leur pertinence auprès des communautés diasporiques dans la dimension citoyenne de l'espace québécois. Le remodelage s'avère complexe *mais nécessaire afin qu'il puisse y avoir* accommodement avec des valeurs communes pour un contrat social.

Ce qui est flagrant chez une troisième catégorie silencieuse, c'est qu'elle se dit non concernée par ce qui se passe ici et ailleurs en Occident. Elle se perçoit en étrangère de passage au Québec. Pour des motifs religieux ou autres, ces *passagers* évitent toute situation de conflit ou de confrontation avec les modes de vie des Québécois et leurs pratiques religieuses. Pour cette catégorie, le programme d'éthique et de culture religieuse est ignoré, car celui-ci n'entrave pas leur projet de vivre en parallèle du système québécois ; elle vit dans un état de nostalgie continue. Politiquement, elle ne vote pas et, en ce qui concerne l'éducation, elle a ses propres écoles juives et islamiques par exemple. Une telle nostalgie peut être compréhensible pour une communauté loin de ses racines ou déracinée par la force des choses, mais prendrait des proportions néfastes et obsessionnelles si elle vivait à la québécoise le jour, puis à l'arabo-musulmane la nuit. Le processus d'intégration dans sa nouvelle vie québécoise s'en verrait très alourdi.

On peut procéder à une autre catégorisation à partir des positions des élites immigrantes sur la religion dans la sphère publique. Il y a prise de position par une élite intellectuelle laïque, cette dernière avançant que les émigrants doivent se soumettre complètement aux règles posées par le système laïque québécois. Mais il existe une autre approche revendicative qui n'est pas prête à faire de concessions en réponse à l'offre d'un Québec ouvert, dont certains imams qui appellent au boycott des élections en alléguant que le Québec est un État impie.

La première catégorie est composée principalement de personnes porteuses de deux cultures puisqu'elles sont nées en Occident de parents immigrants. Elles se disent fières de leur religion qu'elles veulent universelle et toujours en harmonie avec les valeurs de l'époque. Cette tendance à l'ouverture à l'égard de la modernité, non sans déplaire aux rigoristes gardiens prétendus de la tradition religieuse, a abouti à un rétrécissement de l'espace du sacré, non révisable et non critiquable. Aussi a-t-elle en-traîné un allégement du poids de l'interdit, ce qui signifie l'élargissement de l'étendue du profane ou de l'historique relatif, circonstanciel, changeable et donc modifiable. De cette manière, le permis occuperait plus de place dans l'échelle des valeurs et dans le comportement. On peut donc dire qu'il y a structuration d'une nouvelle identité musulmane basée sur une articulation entre religion et culture. Ce qu'exprime l'islamologue Tariq Ramadan :

Il faut [...] distinguer entre, d'une part, les éléments de l'identité musulmane fondés sur les principes religieux et qui donnent à cette dernière une qualité forcément ouverte puisqu'elle doit permettre au fidèle de vivre dans tous les environnements et, d'autre part, les cultures qui sont une façon spécifique de vivre ces principes adaptés aux diverses sociétés et pas plus légitimes les unes que les autres dès lors qu'elles respectent les prescriptions religieuses[11].

Dans ces propos, est mise en évidence la notion de la conjugaison de l'identité musulmane avec les autres en proximité, notamment celle dominante comme ici au Québec, conditionnellement à son respect de l'islam. Dans un autre article, Ramadan avance que « la position de l'équilibre est déterminante ; ne rien nier de ce que nous sommes, mais savoir nous maîtriser, pour tendre vers ce que nous voulons être[12] ». Certainement, on ressent ici une difficulté à accepter la prééminence d'autres valeurs que les valeurs religieuses, qui sont aussi un vecteur identitaire. Comme le note Micheline Milot, « la religion entretient des liens indéniables avec la construction des identités dans les sociétés contemporaines[13] ». D'ailleurs, Ramadan lui-même confirme une telle difficulté quand il dit :

---

[11] Tariq RAMADAN, *Les musulmans d'Occident et l'avenir de l'islam*, Paris, Sindbad, 2003, p. 139.

[12] Tariq RAMADAN, « Quel humanisme pour l'islam ? », 27 juin 2006 ; http://www.tariqramadan.com/spip.php ?article728.

[13] Micheline MILOT, « Religion et intégrisme, ou les paradoxes du désenchantement du monde », *Cahiers de recherche sociologique*, n° 30, 1998, p. 175.

Mais il est vrai qu'aujourd'hui – et nous y insistons beaucoup – au nom de la conception de l'homme, il est extrêmement difficile, au cœur même de l'Occident, pour quelqu'un de tradition musulmane, d'accepter sans réagir l'affirmation d'une primauté absolue des droits des êtres humains, sans qu'il soit insisté, en rapport précisément avec la Transcendance, sur l'obligation d'une responsabilité active[14].

## La réponse québécoise

Quelles sont les concessions faites par la tradition québécoise laïque en vue d'une nouvelle forme de convivialité ? La réponse vient principalement du rapport final de la Commission Bouchard-Taylor qui a ouvert un débat sur la notion d'une laïcité dite « ouverte ». À ce sujet, les auteurs du rapport avancent que le type de laïcité appliquée en France, faisant ainsi allusion à la loi contre le foulard islamique, est restrictif et n'est pas approprié pour le Québec, cela pour plusieurs raisons, comme l'incompatibilité avec le principe de la neutralité de l'État entre religion et laïcité, alléguant que cela favoriserait plus « la mise en veilleuse des identités » que des « échanges entre les citoyens », encouragés par la philosophie de l'interculturalisme québécois (*Rapport Bouchard-Taylor*, p. 20). Parmi les intellectuels qui ont agi en faveur du concept de la laïcité ouverte, mais avec modération, le

---

[14] Tariq RAMADAN, « Quel humanisme pour l'islam ? », 27 juin 2006 ; http://www.tariqramadan.com/spip.php ?article728.

philosophe Daniel Marc Weinstock est digne de mention. Il avance que ce concept, diagonalement opposé à une laïcité « à la française », pourrait constituer « un projet de société véritablement rassembleur », tout en insistant sur le caractère laïque des institutions. Il est judicieux de penser que la notion de la laïcité ouverte défendue par Daniel Weinstock n'est étrangère ni à sa préférence du multiculturalisme à la canadienne ni au principe de l'interculturalisme[15] comme on l'entend communément.

Mais cette laïcité ouverte serait-elle une solution contre toute forme de ghettoïsation ? La question se pose réellement quand on relit le sondage du Pew Global Attitudes Project[16] qui a révélé en 2006 que 81% des musulmans en Grande-Bretagne se considéraient « avant tout comme musulmans » et que seulement 7% parmi eux se considéraient « avant tout comme citoyens d'Angleterre ». En Espagne, ce rapport est de 69% contre 3%, en Allemagne 66% contre 13%, tandis qu'en France l'écart est plus mince. En effet, 46% se considéraient « avant tout comme musulmans » contre 42% se considérant avant tout comme citoyens français. Il s'avère que dans le pays

---

[15] Le fait que le Québec privilégie l'interculturalisme, perçu comme un outil d'assimilation de la majorité francophone à la place du multiculturalisme, met cette province en contradiction avec le choix du Canada. C'est du moins ce qu'affirme Martin Geoffroy en soulignant que « le multiculturalisme fait partie intégrante de la loi fondamentale du Canada [et] qu'aucune province canadienne ne peut juridiquement s'y soustraire ». Voir Martin GEOFFROY, « La crise des accommodements raisonnables au Québec : de la jurisprudence à l'ingérence », *Études canadiennes*, vol. 65, décembre 2008, p. 60.

[16] http://pewglobal.org/reports/display.php ?ReportID=253.

du multiculturalisme, l'identité religieuse est plus mise en évidence, alors qu'en France, pays de la laïcité *pure et dure,* l'écart est minime entre ceux qui s'identifient « religieusement » et « comme citoyen ». Ainsi, selon la chancelière allemande Angela Merkel, le multiculturalisme a échoué et les immigrants surtout d'origine musulmane sont appelés à adopter et intérioriser les valeurs allemandes et à maîtriser la langue officielle du pays hôte. Sa déclaration en ce sens, prononcée en octobre 2010, vient dans la foulée du livre de Thilo Sarrazin, membre du Parti social-démocrate : *Deutschland schafft sich ab* (L'Allemagne court à sa perte), où les musulmans apparaissent comme un fardeau et résistent toujours à l'intégration. À l'approche des scrutins régionaux de 2011, le chef de la CSU[17] bavaroise Horst Seehofer est allé jusqu'à dire que « l'Allemagne n'a plus besoin d'immigrants de pays aux cultures différentes comme les Turcs et les Arabes[18] ».

Cela explique pourquoi on retrouve certains détracteurs de la laïcité ouverte parmi eux, notamment l'écrivain chroniqueur Pierre Foglia, connu pour ses écrits satiriques. Foglia, qui se veut un « intégriste laïque », a laissé entendre dans un article paru dans *La Presse* qu'il est d'accord avec le Rapport Bouchard-Taylor, à l'exception de cette question de laïcité ouverte. En fait, il y a un désaccord total entre les deux visions : celle des commissaires qui se sont alliés

---

[17] Union chrétienne-sociale, en français.

[18] Pour plus d'informations, voir l'article du *Monde* du 7/10/2010 : « Selon Merkel, le modèle multiculturel en Allemagne a "totalement échoué" » ; http://www.lemonde.fr/europe/article/2010/10/17/selon-merkel-le-modele-multiculturel-en-allemagne-a-totalement-echoue_1427431_3214.html.

à la position des élites musulmanes demandeuses de plus de visibilité des signes ostentatoires dans l'espace public, et celle de Foglia entre autres. Cette dernière donne la priorité à l'école publique, car elle est l'institution structurante de la société, selon les termes mêmes de Foglia, avant les institutions étatiques. Pour les tenants de cette position, le port des signes religieux ostentatoires, selon certaines perceptions, constitue un retour du religieux dans l'espace public. Dans la même perspective, Yolande Geadah, essayiste québécoise d'origine égyptienne, se positionne dans le juste milieu, en affirmant la gestion laïque de l'espace institutionnel québécois, loin de tout empiétement du religieux, et soutenant la nécessité d'éviter à la fois l'attitude raciste contre les immigrants et le relativisme culturel ; autrement dit, éviter à la fois de ne rien donner et de satisfaire toutes leurs revendications pour ne pas les stigmatiser[19].

Le concept de la laïcité *ouverte* peut être viable s'il est garanti par le droit et des valeurs communes. À cette condition seulement, tout débordement du religieux dans les espaces public et civique sera inoffensif et sans effet sur la laïcité et ses fondements. En effet, même un défenseur de la laïcité ouverte comme Jean Baubérot[20] avance que

---

[19] Pour plus de détails, voir Yolande GEADAH, *Accommodements raisonnables. Droit à la différence et différence des droits*, Montréal, VLB éditeur, 2007, et aussi son article : « Commission Bouchard-Taylor - Un rapport insensible à l'égalité des sexes », *Le Devoir*, 16 juin 2008.

[20] Le professeur Jean Baubérot est le seul membre de la commission Stasi qui a refusé une législation interdisant l'affichage ostentatoire de signes religieux à l'école publique française. Dans sa lettre envoyée à la commission Stasi le 6 décembre 2003, le

celle-ci peut se trouver happée par les religions ou toute autre doctrine auxquelles elle s'ouvre. C'est pourquoi il pense que la laïcité doit allier ouverture et vigilance et préfère la notion de laïcité inclusive, c'est-à dire une laïcité qui a pour rôle de former le lien social et ne sera pas happée par les discours religieux. Baubérot propose de s'abstenir de fonder les liens sociaux sur la base de l'appartenance religieuse ou confessionnelle. Dans une autre lecture de la loi française de séparation, il avance que « les religions ne sont pas au-dessus des lois, elles ne sont pas non plus au-dessous[21] », d'où le besoin d'un dosage savant et subtil entre ce que propose par exemple le rapport Stasi en France (2003) et celui de Bouchard et Taylor au Québec (2008), c'est-à-dire un dosage entre une laïcité considérée comme principe juridique majeur et une laïcité ouverte. Il faut en effet signaler qu'une laïcité qui serait imposée provoquerait sûrement dans les milieux religieux une hostilité à son égard.

### La recherche d'un nouveau contrat social

Sans prétendre donner des solutions magiques, on peut dire que les religieux au Québec sont invités à intégrer la société moderne et à accepter la laïcité dans sa

---

quatrième point de sa proposition permet d'éviter l'interdiction pure et simple du port des signes visibles dont le voile à l'école, ce qui ne sera pas pris en considération par la Commission.

[21] Voir son article « Laïcité ouverte ? » du 15 janvier 2005 ; http://jeanbauberotlaicite.blogspirit.com/archive/2005/01/15/laicite_ouverte.html.

forme initiale, sans égard à son ouverture ou à sa rigidité. Le Québec a fait des choix fondamentaux : son contrat social se fonde sur les principes de la liberté individuelle fondatrice prioritaire et dominante ainsi que sur l'égalité entre hommes et femmes.

Il a aussi choisi d'intégrer les immigrants par un processus d'interculturalisme. Les commissaires Bouchard et Taylor eux-mêmes définissent ce dernier comme « politique ou modèle préconisant des rapports harmonieux entre cultures, fondés sur l'échange intensif et axés sur un mode d'intégration qui ne cherche pas à abolir les différences, tout en favorisant la formation d'une identité commune[22] ». Cette définition semble plus proche de l'une des formules d'arrangement ayant valeur de symbole que les jeunes nations ont adopté petit à petit, selon le sociologue et historien Gérard Bouchard. À ce sujet, ce dernier avance que « l'idée d'une identité nationale doit céder le pas à la réalité des identités multiples, fragmentées, limitées, parallèles[23] », dont certainement le Québec est un exemple. Tout cela bien sûr pour permettre à ce dernier de « se développer pleinement comme nation et comme société francophone responsable[24] ».

L'interculturalisme se définit donc comme favorisant une culture normative qui est celle de la majorité des

---

[22] Commission de consultation sur les pratiques d'accommodement reliées aux différences culturelles, Rapport final, p. 287.

[23] Gérard BOUCHARD, *Genèse des nations et cultures du Nouveau Monde. Essai d'histoire comparée*, 2ᵉ éd., Montréal, Boréal, 2001, p. 394.

[24] Gérard BOUCHARD, *La nation québécoise au futur et au passé*, Montréal, VLB, 1999, p. 110.

Québécois de souche, tandis que le multiculturalisme canadien consiste, selon les commissaires, en un « système axé sur le respect et la promotion de la diversité ethnique dans une société » et « peut conduire à l'idée que l'identité commune d'une société se définit exclusivement par référence à des principes politiques plutôt qu'à une culture, une ethnicité ou une histoire[25] ». Le multiculturalisme ainsi défini est rejeté par plusieurs intellectuels et politiciens québécois comme Joseph Facal qui le perçoit comme une idéologie au service d'un projet politique de nature radicale et autoritaire[26]. Le vrai problème avec le multiculturalisme, selon de tels critiques, est que son relativisme met sur un pied d'égalité les différentes idées, valeurs et cultures présentes dans une société. Du coup, il est difficile ou même impossible, dans la société québécoise, de « poser comme fondements éthiques et culturels dominants d'une société les idées, valeurs et pratiques issues de son histoire et de ses traditions[27] ». Habermas oppose à cette vision des choses le principe de patriotisme constitutionnel, qui implique la pleine reconnaissance des droits de citoyenneté, civils, politiques et sociaux, aux minorités culturelles[28]. Pour lui, « le retour à une identité qui se constitue à partir de

---

[25] Commission de consultation sur les pratiques d'accommodement reliées aux différences culturelles, Rapport final, p. 288.

[26] Joseph FACAL, « L'idéologie multiculturaliste contre la nation québécoise », dans Louis-André RICHARD (dir.), *La nation sans la religion. Le défi des ancrages au Québec*, p. 155.

[27] *Ibid.*, p. 159.

[28] Jürgen HABERMAS, *L'intégration républicaine*, Paris, Fayard, 1998, p. 226.

l'histoire nationale, est une démarche qui, du moins dans les sociétés occidentales, ne nous est plus permise[29] ».

Depuis les études approfondies sur le pluralisme culturel faites par Horace Kallen et John Dewey, qui ont observé l'éclipse de l'État-nation devant une « nation de nationalités », ce concept a manifestement changé de nom et a pris celui plus courant de multiculturalisme, probablement dans les années 1980[30]. Ce multiculturalisme s'interdit toute politique d'assimilation qu'il juge soit improbable vu les rapports des immigrants avec leur pays d'origine, leurs allers-retours, leur utilisation de moyens de télécommunications et des chaînes satellitaires par exemple, soit inacceptable puisque l'assimilation est une imposition d'une culture dominante sur d'autres récentes ou minoritaires. Le risque du multiculturalisme, qui ne peut que plaire aux communautés immigrantes, reste la ghettoïsation, voire le séparatisme ou le parallélisme avec les institutions étatiques ou publiques, comme les écoles, les hôpitaux et les services communautaires. Ce sont les dangers du repli identitaire au Québec : des Québécois contre d'autres au sein d'une même société, ce qui pourrait créer un climat de suspicion en ce qui concerne la loyauté à l'État, aux valeurs de base ou aux fondements du contrat social. Des accusations déferleront, on s'accusera d'ennemi de l'intérieur ou de cinquième colonne, ce qui

---

[29] Jürgen HABERMAS, *Écrits politiques,* Paris, Cerf, 1990, p. 229.

[30] « Le multiculturalisme au cœur, entretien avec Michael Walzer », propos recueillis le 3 juin 1998 par Riva KASTORYANO, Laurent BOUVET et Christophe JAFFRELOT, *Critique internationale*, n° 3, printemps 1999, p. 56.

est en soi menaçant pour la paix sociale et pour l'harmonie conséquente à la bonne entente citoyenne.

Dans les débats politiques au Québec, l'amalgame est vite fait entre le multiculturalisme et le communautarisme. Le multiculturalisme donne aux immigrants la liberté de revivre largement leurs traditions au sein de la société d'accueil comme ils l'ont fait dans leur pays natal. Ils refondent alors leur communauté diasporique sur le principe de la perpétuation des cultes et des coutumes de leurs patrimoines, mais cette liberté ne peut se définir ainsi que s'ils ont opté pour d'autres modes de vie. Par exemple, la femme musulmane qui porte le *hijab* et s'estime libre de le porter, est-elle libre aussi de ne pas le porter ? Les crimes d'honneur sont des cas tragiques d'une perpétuation par la contrainte de valeurs ancestrales plus en affinité avec des milieux tribaux et prémodernes. C'est là la différence entre le fait de perpétuer des normes religieuses ou des traditions qui ne sont pas un choix actif et qui ne découlent donc pas d'une option libre et réfléchie, dans le sens de l'affranchissement. La même chose peut être dite si cette femme enlève son *hijab* ou s'éloigne des pratiques traditionnelles par peur d'être stigmatisée. Au fond, c'est le même raisonnement.

Pour les tenants du pari républicain, notamment dans sa version française, le multiculturalisme constituerait un danger, car il ouvre toute grande la porte au communautarisme, et, comme l'exprime le philosophe français Alain Renaut, « en sacrifiant l'impartialité de la loi à des pratiques de discrimination positive, il conduirait vers la destruction de la seule communauté qui vaille pour un républicain :

celle des citoyens[31] ». Dans l'exemple québécois, tout le défi consiste à ce que les revendications identitaires et religieuses, véhiculées par les accommodements raisonnables dans la dimension juridique, ne constituent pas un danger pour le « vivre ensemble ».

Cela étant, d'aucuns appellent à une « migration culturelle » des communautés ethniques vers la culture québécoise dominante, à une intégration harmonieuse par le conformisme aux choix de la majorité québécoise. Cette idée de migration a déjà été exprimée au début des années 1980, autrement, par la notion de convergence, dans un plan du ministère de l'Immigration et des Communautés culturelles. Le document postule que

> le mot *convergence* fait d'emblée naître à l'esprit l'idée d'une direction commune vers un même point. C'est sans aucun doute celui qui résume le mieux l'histoire du peuplement du Québec, la cohérence que donnent au Québec son caractère de société francophone et l'invitation faite à toutes les communautés culturelles québécoises de s'associer pleinement au projet collectif[32].

Dans la même perspective, d'autres intellectuels voient dans la souveraineté du Québec toute la solution aux problèmes de l'intégration et à l'appropriation de

---

[31] Alain RENAUT, *Qu'est-ce qu'un peuple libre ?*, Paris, Grasset, 2005, p. 11.

[32] MINISTÈRE DE L'IMMIGRATION ET DES COMMUNAUTÉS CULTURELLES AU QUÉBEC, *Autant de façons d'être Québécois. Plan d'action à l'intention des communautés culturelles*, Québec, Ministère de l'Immigration et des Communautés culturelles au Québec, 1981, p. 3.

la culture québécoise par les immigrants. En effet, Micheline Labelle, François Rocher et Guy Rocher ont la ferme conviction que

> les obstacles à une intégration pleine et entière à la culture publique commune québécoise ne pourraient être levés autrement que par l'accession du Québec à la souveraineté, qui, en outre, mettrait fin aux ambiguïtés de l'actuelle politique de gestion de la diversité ethnoculturelle. La problématique de la citoyenneté se poserait dans des termes nettement plus clairs pour éventuellement en arriver à éliminer la fausse dichotomie opposant Québécois et membres des groupes ethnoculturels[33].

## Un humanisme séculier

L'intégration requise exige certainement que le phénomène religieux, transculturel et transfrontalier, soit toujours plus large que les interprétations véhiculées pour le comprendre, d'où la nécessité de tracer des frontières claires entre la foi d'une part et les manifestations circonstancielles et historiques de la conscience identitaire d'autre part, entre ce qui est immuable et ce qui ne l'est pas. En bref, on peut dire qu'éloigner la religion de la sphère publique et la confiner dans le privé dans un Québec

---

[33] Micheline LABELLE, François ROCHER et Guy ROCHER, « Pluriethnicité, citoyenneté et intégration : de la souveraineté pour lever les obstacles et les ambiguïtés », *Cahiers de recherche sociologique*, n° 25, 1995, p. 214.

areligieux, sans toutefois être antireligieux, serait salutaire pour la spiritualité religieuse elle-même. Le cas échéant, les immigrants qui tiennent à leur religion aideront sans aucun doute au renforcement de l'État québécois. Autrement dit, dans une perspective « MacIntyrienne », la religion doit suivre la raison séculière, comme l'a avancé Alasdair MacIntyre au sujet de la religion chrétienne :

> Ou bien le christianisme accepte les termes de la raison séculière et argumente à leur sujet, ou il insiste sur le fait de n'être jugé par aucun critère autre que les siens propres. La première possibilité mène [...] à une réduction du christianisme à quelque chose d'autre que lui-même. La seconde mène à un christianisme qui devient fermé sur lui-même et inintelligible[34].

Cette conception pourrait être généralisée dans le contexte québécois actuel où sont présentes plusieurs religions.

Dans son ouvrage *Bioethics and Secular Humanism*, Engelhardt défend un « humanisme séculier » comme notion qui transcende toute éthique religieuse et rationnelle, ce qui revient à chercher ce qu'ont les humains en commun, sans égard à leurs présupposés religieux, moraux ou métaphysiques. Cet humanisme devient pour Engelhardt la solution moderne au problème posé par la vie en commun des « étrangers moraux ». À ce sujet, Engelhardt dit :

---

[34] Alasdair MacIntyre, *A Short History of Ethics*, New York, Macmillan, 1966, p. 211.

Si les individus sont désireux de résoudre les controverses sans appel direct à la force, et si Dieu demeure
silencieux (c'est-à-dire que ceux qui participent à la
controverse ne partagent pas la même idéologie ou la
même tradition religieuse) et si la raison faillit à la tâche
(c'est-à-dire que ceux qui participent à la controverse
ne partagent pas suffisamment les mêmes valeurs et ne
font pas la même lecture de la situation, de telle sorte
que la controverse morale puisse être ramenée à une
controverse empiriquement ou logiquement gérable),
alors la seule façon de résoudre les controverses avec une
autorité commune sera par une négociation pacifique[35].

Dans ce passage, on voit que le problème ne réside
pas seulement dans les divergences religieuses, qu'Engelhardt désigne par le « silence de Dieu », mais aussi
dans la difficulté et la faillite même de la raison et de la
logique à trouver une solution aux controverses morales,
car une « éthique rationnelle » ne fait pas l'unanimité. Du
coup, Engelhardt trouve la solution dans un processus
de négociation pacifique entre des individus considérés
comme des « étrangers moraux » les uns pour les autres.
Par conséquent, ce qu'on peut tirer de cette vision *engelhardtienne*, c'est que l'éthique résulte d'une « grammaire
de la résolution intersubjective des controverses, sur ce
qui a trait aux faits, sans faire appel aux institutions, ni
à Dieu[36] ». C'est ainsi qu'Engelhardt pousse la réflexion

---

[35] Hugo Tristram ENGELHARDT Jr., *Bioethics and Secular Humanism. The Search for a Common Morality*, SCM Press, London/
Trinity Press International, Philadelphia, 1991, p. 119.
[36] *Ibid.*, p. 121.

jusqu'à s'ouvrir sur une éthique séculière de la discussion. Autrement dit, c'est dans une démarche visant au consensus que prend forme l'éthique commune recherchée. Dans cette perspective *engelhardtienne*, le but recherché ne serait qu'une culture planétaire, partagée par tout le monde en effectuant une *tabula rasa*. Mais cela est-il aisé à atteindre ? Ou n'est-ce pas pour demain, comme le dit Todorov ? « En profondeur, les mentalités ne changent pas si vite[37]. » L'objectif dans ce cas serait de « penser en tables rases, en hommes sans passé[38] », alors que « nous sommes conditionnés par nos traditions, par notre enfance, par nos familles. Nous mangeons les mêmes hamburgers et buvons les mêmes cocas, certes, mais cela ne signifie pas que nous avons la même culture. Ce n'est tout de même pas cela, la culture[39] ! » Tout le défi est de trouver comment en arriver à ce consensus et à la discussion. Si Engelhardt pose comme principale condition la bonne intention des « étrangers moraux » pour trouver la solution, Todorov pose quant à lui le principe de la *tabula rasa* pour penser ensemble dans de nouvelles expériences communes.

## Du bon accueil des « étrangers moraux »

La société québécoise est formée actuellement de ce qu'Engelhardt appelle les « étrangers moraux ». Elle est traversée par une dynamique sillonnée elle-même par le

---

[37] Tzvetan TODOROV, *Le nouveau désordre mondial. Réflexions d'un Européen*, Paris, Robert Laffont, 2003, p. 71.

[38] *Ibid.*

[39] *Ibid.*

culturel et le religieux. La question est de savoir comment concilier les différences multiples dans cet espace en vertu de la démocratie en vigueur. Certainement, le but, comme le dit Olivier Ferry, « ne peut pas être de se mettre d'accord avec tout le monde mais de faire un choix : celui des valeurs les plus acceptables universellement, valeurs qui ne séparent pas, ne discriminent pas, ne traitent aucun membre de la société humaine comme moyen, et ce, même si ces valeurs s'opposent à certaines idéologies[40] ». Dans la perspective *engelhardtienne*, l'heure de l'immigration et du métissage culturel, la présence des « étrangers moraux » au Québec invite à la consolidation de l'harmonie et de la bonne entente. Ces *étrangers* ont des spécificités culturelles et idéologiques qui divergent entre elles et avec les soubassements libéralo-démocratiques sur lesquels se base le Québec. Ils sont toujours dans un processus d'équilibrage pour la paix sociale et pour l'élaboration d'un nouveau contrat social québécois.

Certainement, la culture québécoise est, devant l'effacement des frontières entre le local et le global, l'autochtone et l'étranger, une réalité imposée par l'immigration et la culture mondialisée, remettant en question plusieurs piliers de l'édifice sociétal. Il s'est avéré que des thèmes comme l'égalité des genres, la part de la femme dans la succession, les droits des couples homosexuels, les mariages arrangés, la place de la religion et la hiérarchie des droits individuels et collectifs sont sujets à un continuel débat. En plus, les immigrants sont issus de régions

---

[40] Olivier FERRY, « Pour une éthique de la modernité », *Champ Psychosomatique*, n° 55, 2009, p. 36.

bousculées par des conflits culturels, ethniques, religieux, sectaires et confessionnels et en subissent donc forcément des échos et des débordements sur la scène intérieure au sein des communautés diasporiques. D'autant plus que le Canada est impliqué, que ce soit directement ou indirectement, dans certains d'entre eux, notamment dans le cas des Balkans, du Kosovo, du Darfour, du Nigéria, de la Palestine, de l'Afghanistan et de l'Irak.

Dans ce processus d'interculturalisme et de reconfiguration identitaire, une zone conflictuelle se dresse, qui génère un débat de fond entre les « étrangers moraux » du Québec. Ce débat, qui a été entamé par la Commission Bouchard-Taylor et s'est manifesté au sujet du programme d'éthique et de culture religieuse, souffre de l'idéalisation des identités en présence qui mène jusqu'à une forme de narcissisme érigé comme un mur que doivent franchir avec beaucoup de courage et de bonnes intentions les « étrangers moraux ». Pour ce faire, ils sont appelés à dépasser les paramètres de confrontation retenus par leurs imaginaires collectifs. En effet, le Québec n'a jamais fait partie du colonialisme européen que la plupart de communautés immigrantes considèrent comme responsable des fractures géopolitiques de leur pays d'origine, d'où l'idée qu'entretiennent à tort certains milieux selon laquelle la modernité serait synonyme d'occidentalisation, et qui rejettent ses acquis tels que la démocratie, l'individuation et la liberté d'expression. Ce rejet entraîne un danger de ghettoïsation et risque de mener à un conflit avec la société d'accueil occidentale.

C'est ainsi que pour réussir un tel débat entre les « étrangers moraux », des attitudes sont à écarter : le narcissisme qui enveloppe l'identité dans l'isolement, les préjugés sur l'autre sans autocritique constructive, l'amalgame entre les principes sacrés de la démocratie, les dérapages de la société occidentale et les loyautés extraterritoriales faisant fi de la loyauté constitutionnelle. Des notions comme la nostalgie culturelle, l'idéalisation du passé religieux et du passé patrimonial au sein des communautés culturelles, l'approche apologétique de soi, ainsi que le repli identitaire, sont des notions qui mettent en évidence la difficulté ou l'impossibilité de l'intégration des communautés religieuses et de leur intériorisation des valeurs libérales. C'est pourquoi l'affranchissement des préjugés religieux déraisonnables, selon la formule de John Rawls, reste un postulat de base que l'on retrouve aussi dans la réflexion de Jean-Marc Larouche qui prévient du danger de tomber dans un relativisme simple ou simpliste : « Les traditions religieuses doivent et peuvent moderniser leur foi en adoptant une conscience autocritique, une attitude non exclusive[41]. »

Il faut considérer aussi que chaque communauté immigrante, loin d'être monolithique, est formée elle-même d'« étrangers moraux ». C'est le cas par exemple de la communauté musulmane, plurielle par ses appartenances ethniques et confessionnelles diverses et traversée par des tendances hétéroclites, ce qui rend le débat nécessaire et urgent au sein de ces communautés, soucieuses de leur religion et de leur identité culturelle.

---

[41] Jean-Marc Larouche, « De la vérité dans l'espace public. Vers une société postséculière », *Éthique publique*, vol. 8, n° 1, printemps 2006, p. 8.

En effet, comme le note le philosophe français Pierre Manent pour le contexte d'une Europe en construction – ce qu'on pourrait également dire du Québec que l'on peut lui aussi considérer comme étant en gestation –, la notion d'identité culturelle est « à la fois inconsciente et violente : elle écrase les articulations du monde humain en recouvrant pêle-mêle la religion [...], les mœurs et les manières privées, etc.[42] ».

Par ailleurs, il faut signaler le manque d'originalité de la réflexion religieuse dans les communautés immigrantes au Québec et surtout l'échec des esprits critiques à montrer plus d'indépendance intellectuelle face aux référents venus d'ailleurs pour répondre aux spécificités culturelles québécoises. L'exigence de l'intégration citoyenne est un préalable pour que l'interculturalité ne soit pas un assemblage de ghettos sans symbiose ni métissage, pour que la laïcité ouverte ne soit pas un alibi pour un remodelage des identités religieuses ou ethno-confessionnelles qui affaiblirait la cohésion sociale. Certainement, l'Occident a réussi grâce à sa démocratie, et surtout à sa laïcité, à mettre fin au confessionnalisme et aux loyautés infra-étatiques[43], mais, avec la ghettoïsation des communautés ethniques ou religieuses, cela sera-t-il toujours possible ?

En outre, il faut noter que penser la laïcité dans la culture musulmane est un privilège de certaines ten-

---

[42] Pierre MANENT, *Enquête sur la démocratie*, Paris, Gallimard, 2007, p. 177.
[43] Encore faut-il signaler le rôle de l'industrialisation et l'urbanisation, dans le façonnage des mentalités occidentales.

dances « laïcisantes » savantes de la sphère musulmane et est étranger ou même fait peur au savoir populaire. Toutefois, il y a eu des efforts de laïcisation en islam : l'appel à la laïcité des penseurs musulmans s'inscrit dans leur volonté de se procurer un antidote « occidental » contre l'instrumentalisation politique de la religion, pour constituer un garde-fou contre les dérives de la religion vers le fanatisme. En d'autres mots, pour plusieurs d'entre eux[44], refouler la religion musulmane dans l'espace privé serait salutaire pour la spiritualité musulmane elle-même. Les tenants de la laïcité dans l'espace musulman invitent ce dernier à adhérer à la rupture entre l'État et la religion comme dans les sociétés occidentales.

## Le malaise d'un État « creux » et démocratique

La déconfessionnalisation au Québec est toujours en marche. Par opposition à une société religieuse, la société laïque québécoise se veut de l'histoire, pour emprunter le vocabulaire de Marcel Gauchet, c'est-à-dire une société « qui se produit sciemment elle-même, au lieu de se penser définie par un Autre surnaturel, et qui se projette dans le futur pour ce faire, au lieu de se poser dans la dépendance du passé[45] ». C'est une option idéologique en conformité avec l'option laïque et avec la reconnaissance de la pluralité, laquelle devient un pluralisme, soit

---

[44] Voir Sami AOUN, *Aujourd'hui l'islam. Fractures, intégrisme et modernité*, Montréal, Médiaspaul, 2007, p. 59-79.

[45] Marcel GAUCHET, *La démocratie contre elle-même*, Paris, Gallimard, 2002, p. XVI.

« ce mode de conception de soi de la société civile dans son rapport de représentation et de reconnaissance avec l'État[46] ». Cette reconnaissance n'est pas celle de la donnée plurielle, mais plutôt un élément structurant de la société civile en devenir et surtout de la citoyenneté.

Le débat se poursuit dans la question du projet de loi 94 sur les accommodements raisonnables. Vu le flou qui règne dans le texte du projet, la porte a été encore une fois ouverte à la spéculation et aux surenchères politiques. En effet, le principe de l'accommodement pour des raisons religieuses est maintenu, pourvu qu'il soit « raisonnable[47] », comme le stipule l'article 5, ce que refusent les anti-multiculturalistes qui demandent plus de fermeté dans le but de fermer définitivement la porte au cas par cas dans les demandes d'accommodements raisonnables. De toute évidence, la recommandation du Conseil des femmes en faveur du port des signes religieux dans la fonction publique aura cette incidence fâcheuse : une laïcisation et une confessionnalisation cohabitant et accentuant la probabilité de l'entrechoc. On constate que la laïcisation recule dans la fonction publique au moment de la sortie de la religion de l'école. Il est assez certain que ce projet de loi, s'inscrivant dans la vision gouvernementale libérale de la laïcité ouverte, autorisera le port des signes religieux dans les rapports des fonctionnaires de l'État avec les citoyens, même si le

---

[46] Marcel GAUCHET, *Un monde désenchanté ?*, Paris, Éd. de l'Atelier/Éd. ouvrières, 2004, p. 186.

[47] Voir le texte du projet de loi 94 sur le site de l'Assemblée nationale http://www.assnat.qc.ca/fr/travaux-parlementaires/projets-loi/projet-loi-94-39-1.html.

texte du projet lui-même ne mentionne pas les termes « laïcité » et « signes religieux ».

On constate rapidement la politisation du débat. Les attaques venues de plusieurs groupes féministes contre le gouvernement critiquent cette absence de laïcité dans le texte et dans les lois québécoises. Il est aisé de s'apercevoir que les critiques amalgament nationalisme québécois, peur de l'immigrant et phobie de perdre les acquis de la Révolution tranquille, dont l'égalité homme-femme. Sur ce point, les deux courants qui divergent sont toujours les mêmes. La recherche de l'appui au sein de la population est un point fondamental dans les deux discours. Il n'est pas étonnant d'entendre des propos tels que : « Il y a un fort consensus sur ce point » ou « La majorité des Québécois sont d'accord. »

Une fois que la loi sur les demandes d'accommodement sera passée, son défi sera certainement de régler le conflit qui surgit entre le principe de l'égalité homme-femme et la liberté religieuse puisque l'on sait pertinemment que les deux appartiennent à des paradigmes totalement différents. Surtout que le projet de loi 94 fuit cette opposition en faisant référence, dans son article 6, aux notions de sécurité et de communication, en faisant allusion au *niqab* et à la *burka*, plutôt qu'à la question de l'égalité, considérée comme une des valeurs québécoises immuables. L'État québécois a affiché sa neutralité, négligeant ainsi son rôle de garant de la laïcité, ne serait-ce que pour contrer les débordements des accommodements raisonnables, la porte leur étant ouverte par ce projet de loi qui confirme que le traitement se fera au cas par cas. La question qui se pose est de savoir si l'administration québécoise sera en mesure de traiter toutes ces demandes. Le cercle des interprétations et des contre-interprétations des lois peut devenir vicieux, la recherche du dosage subtil et celle d'un consensus peut s'avérer difficile.

Se posent alors de nombreuses questions d'importance. Comment faire émerger une religion libérale en conciliation ou en arrimage avec la démocratie ? Comment faire émerger une religion qui se préoccupe de sa spiritualité sans tenter d'imposer sa doctrine ? C'est pour essayer de répondre à de telles questions qu'il est important d'analyser la portée et les limites du nouveau programme d'éthique et de culture religieuse. En vertu de l'article 41 de la Charte québécoise des droits et libertés de la personne, modifiée[48] en juin 2005 par le gouvernement du Québec pour rendre possible, sans débat public diront les opposants, le cours d'éthique et de culture religieuse tant attendu. Depuis septembre 2008, ce programme a remplacé le programme d'enseignement religieux confessionnel. Qu'ils soient athées ou croyants, catholiques ou protestants, juifs ou musulmans,

---

[48] Il faut préciser que l'énoncé original de 1982, de l'article 41 de la Charte québécoise des droits et libertés de la personne, stipulait : « Les parents ou les personnes qui en tiennent lieu *ont le droit d'exiger* que, dans les établissements d'enseignement publics, leurs enfants reçoivent un enseignement religieux ou moral *conforme à leurs convictions, dans le cadre des programmes prévus par la loi.* » Après la modification apportée par le projet de loi 95, en juin 2005, l'article 41 stipule : « Les parents ou les personnes qui en tiennent lieu ont le droit d'assurer l'éducation religieuse et morale de leurs enfants *conformément à leurs convictions, dans le respect des droits de leurs enfants et de l'intérêt de ceux-ci.* »

bouddhistes ou sikhs, les élèves québécois ont une même éducation à la culture religieuse et à l'éthique.

À ce sujet, il faut mentionner le projet de loi 118, entériné le 14 juin 2000 par l'Assemblée nationale, abrogeant le statut confessionnel des écoles publiques primaires et secondaires du Québec. Cette loi, qui reconnaît une certaine « déconfessionnalisation » des écoles, se situe dans le sillage du rapport Proulx de mars 1999 qui préconisait l'abolition du statut confessionnel des écoles ainsi que l'institution d'un cours obligatoire sur l'enseignement culturel des religions pour l'ensemble des élèves. En vertu de cette loi, les postes de sous-ministres associés à la foi catholique et protestante ainsi que les comités catholiques et protestants ont été remplacés respectivement par le Secrétariat aux affaires religieuses[49] (SAR) et le Comité sur les affaires religieuses[50] (CAR). Ces deux organes ont

---

[49] La mission du Secrétariat aux affaires religieuses (SAR) est double : il permet à la ministre de l'Éducation, du Loisir et du Sport d'exercer ses responsabilités sur toute question relative à la religion en éducation et il donne au Comité sur les affaires religieuses (CAR) le soutien nécessaire à l'exercice de son mandat auprès de la ministre.

[50] Le Comité a pour mandat de conseiller la ministre de l'Éducation, du Loisir et du Sport sur toute question touchant la place de la religion dans les écoles. Il peut être appelé à donner son avis sur les orientations que le système scolaire devrait prendre dans ce domaine et sur son adaptation à l'évolution socioreligieuse de la société québécoise. Il donne également son avis sur les aspects religieux des programmes d'éthique et de culture religieuse et sur la pertinence de l'animation à la vie spirituelle et à l'engagement communautaire, service éducatif complémentaire présent dans les écoles primaires et secondaires contribuant à la croissance et l'humanisation des jeunes et apportant un soutien professionnel dans l'instauration d'une culture institutionnelle conforme à la

entamé le processus de déconfessionnalisation du système scolaire menant au nouveau programme d'éthique et culture religieuse (ECR). Sans toutefois retenir le caractère obligatoire du cours, le projet de loi 118 a fait lui aussi l'objet de critiques par les religieux et les laïcs.

## Le programme ECR ou l'audace québécoise

Le nouveau cours d'éthique et de culture religieuse présuppose une déclaration de non-agressivité à l'égard du fait religieux, mais il en appelle du coup au relativisme et à l'acceptation de la pluralité de ses expressions culturelles. C'est aussi une reconnaissance de la fin du monopole du seul patrimoine religieux catholique de la culture québécoise : plus d'unicité religieuse au Québec ! Le métissage s'impose comme moteur historique, débouchant sur une culture québécoise humaniste cosmopolite. Cette culture se sent toujours apte à véhiculer une vision nouvelle du monde séculariste qui se démarque de la vision sacrale, ce qui n'est certainement pas le cas d'autres cultures non occidentales. D'ici une décennie et demie, si le cours est toujours en application dans le cursus scolaire, il apparaîtra que l'école est le prolongement de l'État, l'Église catholique se retirant d'un domaine public une fois de plus, après s'être notamment retirée du domaine de la santé. Il s'agit de l'aboutissement du

laïcité ouverte de l'école publique. (CAR, *La laïcité scolaire au Québec, un nécessaire changement de culture institutionnelle*, Avis au MELS, octobre 2006, p. 44.)

processus de la déconfessionnalisation de la sphère publique. En revanche, les incohérences restent lourdes : l'interculturalité, perçue plutôt comme multiculturalisme, laisserait incomplète la sortie du religieux de la sphère publique et même étatique.

Les intellectuels[51] ayant collaboré à l'élaboration du nouveau cours étaient enthousiastes, le considérant comme « une réponse actuelle aux défis du pluralisme et s'insérant dans la suite du processus de déconfessionnalisation[52] ». Ce pluralisme se traduit dans la société par la présence de plusieurs confessions et de différentes croyances, mais aussi de l'athéisme et de l'agnosticisme. Plusieurs acteurs ont pris part à la mise au point de ce programme : un comité de coordination, des dizaines d'enseignantes et d'enseignants, une vingtaine d'experts, ainsi que plusieurs groupes religieux du Québec qui ont été consultés. Avant sa sortie, le programme a été expérimenté dans huit écoles sur des centaines d'élèves et leurs parents, ce qui paraît raisonnable comme échantillonnage.

Ce programme pose comme objectif à long terme que

> les apprentissages doivent prendre racine dans la réalité immédiate du jeune, pour ensuite élargir ses horizons. Or, chaque milieu a ses caractéristiques propres sur les plans social, culturel et religieux.

---

[51] Voir entre autres Georges Leroux, *Éthique, culture religieuse, dialogue. Arguments pour un programme*, Québec, Fides, 2007.

[52] Georges Leroux, *Éthique, culture religieuse, dialogue. Arguments pour un programme*, p. 67.

Ouvrir le jeune à la réflexion éthique et à la diversité religieuse devient pertinent s'il se sent concerné par ces questions. Il serait artificiel de parler de temples, de cathédrales ou de mosquées mondialement connus sans d'abord amener l'élève à reconnaître les édifices religieux de son village ou de son quartier. La réforme en cours met d'ailleurs l'élève au centre de ses apprentissages, comme acteur et moteur de son développement[53].

Mais ce programme, qui ne plaît guère à plusieurs représentants des groupes religieux, réussira-t-il à court et à moyen terme le pari de renforcer le nouveau pacte social québécois, pacte qui se fonde à la fois sur la liberté de croire et de ne pas croire, sur l'égalité citoyenne, ainsi que sur le droit à la différence ?

Il est bien évident que le nouveau programme ECR n'a pas l'intention de diluer des croyances qu'il n'enseigne même pas comme telles, mais il conduira sûrement à un relativisme de la *vérité* religieuse. Dans une perspective optimiste, on peut dire que ce programme serait une invitation à une notion plus ample que la reconnaissance de l'Autre et la tolérance de celui-ci, qui est l'altérité. Georges Leroux inscrit même l'enjeu du programme dans une perspective kantienne, en faisant « un enjeu

---

[53] « La mise en place d'un programme d'éthique et de culture religieuse. Une orientation d'avenir pour tous les jeunes du Québec », accessible sur le site du ministère de l'Éducation, du Loisir et du Sport : http://www.mels.gouv.qc.ca/lancement/ Prog_ethique_cult_reli/prog_ethique_cult_reli_f.pdf.

kantien de l'accès à l'autonomie, rendue possible par une formation unifiée et cohérente[54] ».

En adoptant un tel programme obligatoire, le Québec se distancie du programme scolaire canadien se basant sur le choix. Une même distance le sépare du modèle républicain français complètement sécularisé et se référant plus à l'histoire républicaine, à la Déclaration des droits de l'homme et du citoyen de 1789, aux lettres et à la philosophie des Lumières qu'à la religion chrétienne, mais également du modèle belge assurant constitutionnellement le libre choix des parents (article 24, § 1), tout en faisant des religions reconnues et de la morale non confessionnelle l'objet d'un enseignement au sein des établissements scolaires officiels (article 24, § 1). En Allemagne, les élèves doivent obligatoirement choisir entre religion et éthique. Dans plusieurs *Länder*, un enseignement religieux islamique, justifié par le nombre des élèves musulmans, est donné dans des écoles publiques[55] même si l'État *neutre* collabore profondément avec les Églises[56]. Le choix québécois en matière d'enseignement religieux est particulier puisqu'il ferme la porte à « un modèle communautarien[57] » par le biais de la transmission du savoir moral et religieux. Dans cette optique, un tel savoir ne doit pas être gardé

---

[54] *Ibid.*, p. 103.

[55] Klaus Nientiedt, « Les relations Églises/État en Allemagne. Une séparation "boiteuse" », *Études*, vol. 5, n° 409, novembre 2008, p. 450.

[56] *Ibid.*, p. 441.

[57] Georges Leroux, *Éthique, culture religieuse, dialogue. Arguments pour un programme*, Québec, Fides, 2007, p. 23.

jalousement ou refoulé par les communautés en présence dans le nouveau Québec pluriel. On peut dire qu'il s'agit d'une forme de centralisation de la transmission du savoir religieux pour qu'il ne reste pas l'apanage des responsables religieux des communautés. Un autre savoir religieux ou moral peut prendre forme et se propager au sein d'une communauté, loin du contrôle de l'État, cela au-delà du postulat de base retenu par le cours qui est « le respect réciproque des valeurs et des croyances » nécessaire à une société pluraliste harmonieuse.

Cette transmission du savoir moral et religieux constitue aussi pour les défenseurs du programme – qui considèrent le catholicisme, le protestantisme, le judaïsme ainsi que les spiritualités des peuples autochtones comme constituant la tradition religieuse de référence au Québec – une condition nécessaire à la connaissance de l'autre et à son respect, pour pouvoir ensuite entrer avec lui dans un dialogue constructif. C'est ainsi que la pratique du dialogue, les élèves apprenant à s'accueillir et se respecter dans leurs différences, constitue un des trois buts que le programme s'est proposé d'atteindre, les deux autres étant la réflexion sur les questions éthiques et la compréhension du phénomène religieux.

## Le décollage turbulent d'un cours mal aimé

Depuis l'instauration du programme, sans qu'ils constituent toutefois une coalition, plusieurs opposants se sont manifestés par des marches, notamment à Drummondville le 25 avril 2009, et des témoignages dans les médias et autres. Le spectre de cette opposition est élargi, englobant entre autres les catholiques, les évangélistes, les juifs, les musulmans et les laïcs qui se sont élevés contre ce cours. On a eu droit à des centaines de demandes d'exemptions, concernant quelque 1 700 enfants sur 960 000 élèves inscrits dans les écoles primaires et secondaires au Québec[58], venues de familles catholiques, évangélistes et protestantes et qui ont toutes été refusées.

Certaines critiques dans les médias ont frôlé l'incompréhensible, comme celle qui juge la matière enseignée dans le nouveau cours ERC telle « une véritable haine de soi qu'on inculquera à une jeunesse devenue étrangère à sa propre culture[59] ». Parfois aussi, le cours est perçu comme un retournement contre la culture québécoise de la part du ministère de l'Éducation du Québec et on l'accuse de faire la promotion du multiculturalisme au détriment de l'interculturalisme, selon lequel les immigrants doivent *migrer* vers la culture de la majorité, à savoir la culture québécoise dominante, qui est nécessairement issue du catholicisme. Dans cette optique, sera-t-il demandé aux immigrants de laisser leurs convictions religieuses pour *migrer* vers la culture québécoise catholique ? Ce n'est évidemment pas le cas : les autres religions sont invitées à accepter ce que le catholicisme au Québec a déjà accepté. Un sondage

---

[58] André Pratte, « 116 années après Léon XIII », *La Presse,* 14 mai 2009.

[59] Mathieu Bock-Côté, « Éthique et culture religieuse. Un utopisme malfaisant », *Le Devoir* (Opinions), 24 avril 2008.

de Léger Marketing publié dans *Le Devoir*[60] a dévoilé les chiffres suivants : interrogés sur le programme d'éthique et de culture religieuse, quelque 52% des répondants se sont déclarés en sa faveur alors que seulement 29% ont préféré que leurs enfants n'étudient pas la religion à l'école et que 16% des répondants ont soutenu un cours religieux confessionnel.

Au-delà des chiffres, il faut signaler que cette opposition des familles, toutes religions confondues, confirme une attitude religieuse et un sentiment d'appartenance à une communauté sur une base autre que civile ou nationale. Le sociologue Gary Caldwell est allé jusqu'à confirmer la peur qu'ont certaines familles chrétiennes que leurs enfants se convertissent à l'islam[61]. Cette même idée se retrouve du côté musulman. Par exemple, dans une émission sur le programme d'éthique et de culture religieuse diffusée par la radio du Moyen-Orient à Montréal le 1er octobre 2008, la majorité des musulmans qui ont appelé se sont déclarés contre le programme pour plusieurs raisons dont la peur que leurs enfants perdent leur foi comme elle est comprise dans la religion musulmane dans ses lectures traditionnelles. Le contenu du cours serait contraire à la vision *vraie* du monde véhiculée à l'intérieur de l'univers des adeptes. Donc, si le programme ECR se veut *inclusif*, il y aurait forcément une opposition, une réticence et un rejet.

---

[60] Alexandre SHIELDS et Clairandrée CAUCHY, « Seulement 16% des Québécois préfèrent un enseignement religieux à l'école », *Le Devoir*, 16 septembre 2008.

[61] Émission *Second regard* de Radio-Canada, reportage du 10 mai 2009.

Ce refus pourrait révéler la peur d'entrer en débat avec l'autre différent, ou même d'être en sa présence. En effet, si on est sûr de ses convictions et de ses croyances, pourquoi avoir peur de celles des autres ? Pourquoi un musulman, un chrétien, un juif, un hindou ou un bouddhiste aurait peur que ses enfants changent de religion s'il est réellement convaincu qu'il est dans le *droit chemin* ? De même, la prise de conscience du croyant de l'irréversibilité de la sécularisation frappe de plein fouet les interprétations traditionnelles et conservatrices de la religion, leur statut et leur rôle interprétatif. Le débat sur le cours a même pris des allures de surenchères politiques. Mario Dumont, ancien chef de l'ADQ, a déclaré notamment que « les gens qui ont pensé ce cours-là, c'est le même monde qui se bat par tous les moyens détournés pour qu'il n'y ait plus d'arbres de Noël dans les classes[62] ». Au contraire, pour les optimistes, ce cours reste inclusif et non discriminatoire. Une autre position similaire mais plus claire est celle de la chef du Parti québécois, Pauline Marois, qui a exprimé ses doutes sur la place du catholicisme[63] dans le nouveau cours d'éthique et culture religieuse, avant même son entrée en vigueur, allant jusqu'à réclamer une commission parlementaire sur la question[64].

[62] Voir André PRATTE, « Assez, M. Dumont ! Assez, M. Dumont ! Assez de faussetés ! Assez de démagogie ! », *La Presse*, 11 novembre 2008.

[63] Antoine ROBITAILLE, « Cours d'éthique et de culture religieuse – Marois réclame une commission parlementaire », *Le Devoir*, 14 décembre 2007.

[64] Rappelons aussi l'étude contestée de Joëlle Quérin, sociologue et chercheure associée à l'Institut de recherche sur le Québec, étude dénonçant le lien entre le programme d'ECR et le

*Le front commun inattendu :*
*religieux et athées se mettent d'accord*

Ce nouveau cours est refusé de part et d'autre : des religieux le refusent par peur que la foi de leurs enfants se dilue parmi d'autres, alors que des laïcs le refusent, entre autres, de peur que la culture religieuse devienne aussi importante ou même surpasse la culture scientifique, philosophique ou artistique. C'est ainsi que la Coalition pour la liberté en éducation (CLÉ) a vu le jour avant même que le cours soit donné dans les écoles québécoises. Dans son manifeste[65], la CLÉ demande au gouvernement québécois, au nom du droit de l'enfant à la liberté de pensée, de conscience et de religion, de ne pas imposer ce cours. En réponse, l'Association québécoise en éthique et culture religieuse (AQECR) estime plutôt que le programme ECR ne concerne ni la foi ni ses cheminements. En outre, il n'incite ni à la croyance ni à l'athéisme. L'AQECR défend le caractère culturel du cours ECR, c'est-à-dire qu'il présente le phénomène religieux sous l'angle culturel, et le compare à tout autre cours de mathématique, de français ou de géographie, qui ne porte atteinte ni à l'autorité des parents, ni à leurs croyances, ni à l'enfant. En fait, la religion devient un objet d'étude non croyante et n'est plus la seule marque identitaire ni la marque identitaire dominante.

---

multiculturalisme ; http://irq.qc.ca/storage/etudes/IRQ_Etude_ECR.pdf.

[65] http://www.coalition-cle.org/media/Manifeste_de_la_CLE.pdf.

Le refus catégorique formulé principalement par des parents n'a pas été pris en considération par l'Assemblée des évêques catholiques du Québec (AECQ) dans sa déclaration sur le programme[66] d'éthique et de culture religieuse. L'AECQ s'est montrée plus ouverte et plus prudente, attestant les avantages appréciables du nouveau programme[67], ce qui n'a pas été l'avis du cardinal Marc Ouellet. En effet, dans le cadre de la XIIe Assemblée générale ordinaire du Synode des évêques qui s'est tenue à Rome entre le 5 et le 26 octobre 2008, le cardinal québécois a ouvertement critiqué le programme d'ECR, l'associant à une « dictature du relativisme » et affirmant qu'en mettant fin à des « enseignements confessionnels dans les écoles publiques, le nouveau programme met en péril l'héritage religieux du Québec[68] ». Le prélat exprime son total désaccord avec le nouveau programme qui, pour lui, « bafoue la liberté de religion des Québécois et nie les besoins de la majorité catholique ». Le cardinal a aussi critiqué les Québécois catholiques laïques en disant que « souvent en politique, les laïcs catholiques n'ont pas été à la hauteur de leur devoir : cette même dernière loi a été approuvée par un gouvernement libéral, au sein duquel il y a aussi des catholiques[69] ». Donnant

---

[66] http://www.eveques.qc.ca/documents/2008/ECRDeclaration 17mars08.pdf.

[67] *Ibid.*

[68] Voir Denis WATTERS, « En réponse au cardinal Ouellet », *Le Devoir* (Opinions), 17 octobre 2008.

[69] Luciano DOROTEA, « Le cardinal Ouellet poursuit sa croisade contre le Québec en Italie », *Le Soleil* (Opinions), 14 octobre 2008.

l'image sombre d'un Québec en décadence et au bord du gouffre éthique, il ajoute que

> le vrai problème du Québec, c'est le vide spirituel créé par une rupture religieuse et culturelle, par la forte perte de mémoire qui conduit à la crise de la famille et de l'éducation, qui laisse les citoyennes et les citoyens désorientés, démotivés, instables et attirés par des valeurs passagères et superficielles[70].

Ce sont les mêmes critiques que présente l'association Défense des droits parentaux. Soucieuse elle aussi de l'éducation des enfants québécois, l'association défend les droits des parents au choix de la formation spirituelle et morale de leurs enfants dans les écoles publiques, précisant que le cours devrait être optionnel et offert uniquement dans les classes supérieures du secondaire. L'association peut facilement présenter les instruments juridiques internationaux que le Québec a signés et qui lui sont favorables. En effet, l'article 26 alinéa 3 de la Déclaration universelle des droits de l'homme affirme que « les parents ont, par priorité, le droit de choisir le genre d'éducation à donner à leurs enfants ». Encore plus précis, le Pacte international relatif aux droits économiques et sociaux des Nations unies[71] avance, dans l'article 13 alinéa 3, que

---

[70] *Ibid.*
[71] Un traité que le Canada a ratifié en 1976 et auquel le Québec a adhéré.

les États parties au présent Pacte s'engagent à respecter la liberté des parents et, le cas échéant, des tuteurs légaux, de choisir pour leurs enfants des établissements autres que ceux des pouvoirs publics, mais conformes aux normes minimales qui peuvent être prescrites ou approuvées par l'État en matière d'éducation, et de faire assurer l'éducation religieuse et morale de leurs enfants, conformément à leurs propres convictions.

Le Mouvement laïque québécois (MLQ) a lui aussi refusé le nouveau programme en dénonçant l'amalgame fait dans un seul cours entre l'éthique et la religion. La vice-présidente du mouvement, Marie-Michelle Poisson, décrivant le programme d'éthique et culture religieuse (ECR) comme un outrage à l'intelligence et une injure à la philosophie, considère qu'il comporte des « faussetés, des incohérences internes et des omissions troublantes[72] ». Pour le MLQ, le danger vient du fait que ce nouveau programme attribue à la religion le mérite d'être une garantie de moralité et a pour finalité que « les religions sont toujours nécessairement garantes du respect d'autrui et du bien commun[73] », alors que ces religions peinent à accepter l'Autre s'il est « païen, femme, mécréant, homosexuel ou athée[74] ». En outre, Daniel Baril, conseiller au MLQ, a même qualifié ses

---

[72] Marie-Michelle Poisson, « Le nouveau programme Éthique et culture religieuse. Faussetés et incohérences », *Cité Laïque*, revue humaniste du Mouvement laïque québécois, n° 13, hiver 2008, p. 8.
[73] *Ibid.*
[74] *Ibid.*

objectifs de surréalistes[75]. Pour Baril, qui n'a pas accepté l'amalgame fait entre religion et éthique dans le cours, les connaissances qui y sont véhiculées sont dignes d'études sociologiques de la religion et ne sont pas adaptées à des enfants qui viennent de quitter la maternelle.

On accuse également le nouveau programme de négliger d'enseigner des fondements de la science censés faire partie du parcours estudiantin. De telles critiques sont tenues par le Mouvement Humanisation. En effet, dans un article paru dans *Le Devoir*, le fondateur du mouvement, Gaston Marcotte, avance qu'« en lisant les manuels et les cahiers de ce programme accrédités par le ministère de l'Éducation, on jurerait que la philosophie et la science ne sont pas encore nées[76] ». Marcotte propose aussi au gouvernement du Québec, en vertu de l'esprit de la loi sur la déconfessionnalisation, de retirer le volet « culture religieuse » du programme d'éthique et de l'intégrer à l'histoire[77].

En fait, le cours traverse plusieurs aspects des religions. Il traite entre autres de récits mythologiques comme ceux des Rois mages, du Déluge, de la révélation à Mahomet, de la naissance de Jésus, de Moïse, de Bouddha et de David et Goliath et de pratiques religieuses, incluant la messe, la prière du vendredi, le shabbat, les rites et symboles religieux, les lieux de culte, les célébrations et les fêtes. Cependant, le cours

---

[75] Daniel BARIL, « Pourquoi il faut retirer le volet de culture religieuse », *Le Devoir* (Opinions), 13 mai 2008.

[76] Gaston MARCOTTE, « La culture religieuse avec l'histoire », *Le Devoir*, 22 octobre 2008.

[77] *Ibid.*

s'arrête à ces manifestations extérieures. À ce niveau, on ne peut cautionner l'idée que ce cours mène à une compréhension du phénomène religieux, qui est beaucoup plus complexe. Par ailleurs, devant cette fragmentation du cours, d'aucuns le considèrent même comme une véritable inculcation des « compétences sociocognitives » nécessaires à l'expérience de la citoyenneté[78].

Encore faut-il ajouter qu'un jugement de la Cour supérieure du Québec a reconnu au collège Loyola de Montréal – considéré par le juge Gérard Dugré comme une école confessionnelle – le droit de donner le cours en question dans une perspective catholique, et donc le droit d'être exempté du programme obligatoire d'éthique et de culture religieuse. Ce jugement va bien sûr constituer une jurisprudence à suivre par les écoles privées, creusant ainsi l'écart entre secteur privé et secteur public. Ce qui ouvre une autre porte pour les accommodements « raisonnables ou pas » aux écoles privées désireuses de mener un enseignement en parallèle et ce qui atteste encore plus des difficultés dont souffre un enseignement culturel des religions.

### Le cours comme test pour les « étrangers moraux »

Les objectifs du programme restent de doter l'enfant d'outils pédagogiques lui permettant de saisir le phénomène religieux et surtout de créer un terrain d'échanges, un lieu d'enrichissements mutuels et de

---

[78] Mathieu BOCK-CÔTÉ, « Éthique et culture religieuse, un utopisme malfaisant », *Le Devoir* (Opinions), 24.

saines confrontations intellectuelles toujours possibles entre « étrangers moraux », ce qui signifie l'acceptation d'une intégration sans assimilation posant la nécessité de laisser certaines sensibilités et coutumes.

En ce sens, le cours est en fait à l'image de la société québécoise pluraliste, branché sur la réalité nationale et internationale[79]. Sa réussite ou son échec met en relief plusieurs éléments sur le vivre en commun des « étrangers moraux » dans la société québécoise. Bien sûr, on aurait pu opter pour un enseignement religieux séparé selon les confessions, mais les défenseurs du programme ECR pourraient invoquer le caractère rassembleur du cours, au sens où ils défendent une conception de la citoyenneté ou de l'État moderne, alors que l'option de l'enseignement religieux séparé ne peut que tracer des frontières encore opaques entre les communautés ethniques et confessionnelles en présence au Québec. Le programme ECR peut être interprété lui-même comme un accommodement raisonnable face à la situation pluraliste survenue nouvellement au Québec. Reste à savoir si cet accommodement visant à sauver l'harmonie sociale, la bonne entente et le bien commun, est une concession en faveur des nouveaux contractants très religieux ou une manière plus articulée et subtile, voire rusée, de couper l'herbe sous le pied aux fanatiques religieux.

En fait, le nouveau programme pourrait être un bon test pour des « étrangers moraux », une invitation au débat sans certitudes absolues et une reconnaissance

---

[79] Voir chapitre 2 du présent ouvrage.

de la légitimité des différences, sans relativisme simple ou simpliste. Il peut se concevoir comme une initiation au pluralisme non dominé par le prosélytisme ou par une idéologie imposée. Le politologue Kristoff Talin est allé jusqu'à dire que « le Québec a donc besoin d'un cours qui rappelle l'importance de la religion, mais pas seulement catholique, car le Québec est une société multiculturelle[80] ».

Une grande difficulté réside toutefois dans la distinction que l'enseignant doit mettre de l'avant, ce dernier étant soumis à l'impartialité et à la neutralité et devant en plus s'abstenir de donner son point de vue sur l'aspect confessionnel et culturel de la religion pour ne pas influencer ses élèves. Quoique la formation des enseignants soit assurée, elle reste fragile, c'est du moins ce qu'affirme Jean-Pierre Proulx, connu par son rapport de 1999, qui affirme que « le nouveau régime demeurera par ailleurs fragile sur le plan pédagogique tant que le défi de formation des enseignants n'aura pas été complètement relevé[81] ». Autre difficulté : ce cours sera imposé aux enfants dont les parents optaient jusqu'ici pour une formation morale et pourrait alors être perçu comme un endoctrinement religieux. Par exemple, le récit de la Création est présenté d'un point de vue religieux, sans être pour autant contesté du point de vue des sciences modernes, ce qui crée une apparence de contradiction

---

[80] Voir son article « Éthique et culture religieuse – Le Lyssenko de la souveraineté », *Le Devoir*, 14 décembre 2009.

[81] Jean-Pierre PROULX, « 10ᵉ anniversaire du Rapport Proulx. Une réflexion qui a changé l'école », *Le Devoir* (Opinions), 30 mars 2009.

avec des théories en vogue ou communément perçues comme plus scientifiques comme le darwinisme ou la théorie du Big Bang, qui s'opposent au créationnisme.

Le risque est aussi d'en arriver à une éducation à deux vitesses. En effet, les écoles privées peuvent saisir l'occasion pour attirer plus de parents angoissés par le nouveau programme, en leur offrant un cours en conformité avec leurs choix religieux ou idéologiques. De cette manière, le cours diviserait encore plus dans un État québécois qui n'a pas encore tranché sur un modèle québécois de laïcité plus clair, comme le notent Bouchard et Taylor dans leur rapport final[82].

## Conclusion

Pour conclure, il faut dire que le Québec est ouvert, mais qu'il n'est toutefois pas insensible à l'inadmissible. Si cet inadmissible rejoint le non-respect des valeurs québécoises, ces dernières suscitent des remous, surtout au sein des populations d'immigrants non initiées à ces valeurs. Mais si cet inadmissible signifiait la descente de la laïcité du piédestal où la modernité l'a placée, le débat serait assez vain, car même les plus fervents détracteurs de la laïcité seraient défavorisés si celle-ci était perdue en faveur d'autres groupes religieux, d'athées ou d'agnostiques. Pour ne pas tomber dans un relativisme qui risque de verser dans le nihilisme, le respect de la

---

[82] Commission de consultation sur les pratiques d'accommodement reliées aux différences culturelles, Rapport final, p. 153.

laïcité et sa consolidation par le droit et par l'éducation des immigrants offriraient des balises aux demandes qui peuvent effleurer l'inadmissible, rejoignant ainsi l'idée d'une division du monde en fonction de l'appartenance religieuse. Certainement, les immigrants francophones, qui tiennent beaucoup à l'aspect religieux dans leurs vies, préféreront le Québec à une France dont la laïcité est considérée comme assimilationniste[83], mais risqueront-ils de pousser la laïcité du Québec à se fermer « à la française[84] » ?

En fait, le débat au Québec, même s'il prend des allures politiques, voire identitaires, ramène au questionnement sur la place des convictions religieuses dans l'État laïque. Ce dernier est tenu de réguler des valeurs issues de systèmes autres que judéo-chrétiens. Ces valeurs et ces traditions religieuses sont très présentes dans la vie collective des communautés religieuses en Occident, car elles ont été, comme le dit Habermas, « méticuleusement égrenées et herméneutiquement entretenues[85] ». Cela étant, plusieurs points doivent retenir l'attention. Il faut dissiper la confusion qui existe entre enseigner la religion dans un espace interculturel et l'enseigner dans un espace multiculturel. Ensuite, au-delà de la

---

[83] Les musulmans en ont déjà fait l'expérience avec la question du voile dans les écoles françaises.

[84] Il faut signaler que le choix de cette laïcité ouverte est un choix politique et non celui de la société. Qu'en serait-il si le Parti québécois prenait le pouvoir, lui qui a affiché clairement sa position contre ce choix du gouvernement libéral ?

[85] Jürgen HABERMAS, *Entre naturalisme et religion : Les défis de la démocratie*, Paris, Gallimard, 2008, p. 164.

modification de l'article 41 de la Charte québécoise des droits et libertés de la personne, le choix historique de la *doxa* québécoise est une éducation laïque fondée sur l'idéal de la liberté, à travers le respect des chartes canadienne et québécoise. Il faut donc ouvrir un débat réel sur ce qu'il faut retenir des religions pour réussir un tel enseignement à l'école, pour savoir quelles lectures de la religion on va enseigner. Il faut enfin aborder l'enseignement de la religion avec un esprit laïque pour préparer l'élève à une critique de la raison religieuse, surtout à celle qui s'impose par l'instrumentalisation politique et idéologique du religieux, et à la critique des incursions du religieux dans le domaine étatique.

# ÉPILOGUE

Cet ouvrage se veut, par son analyse des imbrications entre le religieux et le politique, un appel à considérer la possibilité de vivre sa foi religieuse au sein de la modernité politique. Il exprime la conviction qu'être laïque n'exige pas le renoncement à sa foi ni à ses convictions morales et dogmatiques. La laïcité exige du croyant une acceptation des droits des incroyants dans l'espace public, et des athées la reconnaissance que la croyance n'est pas le vestige de l'irrationalisme ou une pensée antiscientifique. Elle est le propre de la démocratie libérale, la seule démocratie d'ailleurs qui se fonde sur la laïcité (*laïkos* ou homme du peuple sans fonction religieuse versus *clérikos* ou détenteur d'un mandat sacré). Elle s'offre comme garante de la neutralité de l'État, en distinguant le public du privé et en affranchissant le citoyen de l'obligation de loyauté aux institutions religieuses et des incursions du pouvoir dans la sphère religieuse (fin du césaropapisme), et de la gestion non violente de la diversité religieuse et culturelle. Même les modèles allemand et britannique, qui ne se fondent pas sur l'idéal laïque à la française, sont animés par l'esprit du *secularism* qui est un phénomène historico-culturel non relié intrinsèquement à la décision politique ou étatique, et appliquent largement les principes fondamentaux de la démocratie libérale, surtout le principe de la différenciation entre les domaines qui ne tolèrent pas les incursions de l'un et de l'autre. Le modèle étatsunien, quant à lui, fondé sur la laïcité de l'État, interdit toute subvention des institutions religieuses qui agissent comme entités autonomes reflétant l'autonomie de la société civile elle-même.

Donc, la laïcité garantit la liberté et l'égalité et est inséparable de l'avancement et de la consolidation de ces idéaux. Elle a pour mandat d'assurer la liberté de conscience et de religion et de protéger la décision étatique contre les abus du religieux et du politique à la fois. Malgré le fait qu'elle est une construction historique propre surtout au modèle républicain français, elle est l'unique voie pour combler le fossé de l'incompréhension et pour voir l'Autre comme partenaire citoyen et non comme ennemi ou menace. C'est au sein de cet espace démocratique, libéral et laïque que la communauté des valeurs se forgerait. L'État laïque n'exige pas la négation du religieux et surtout pas la négation de la divinité. Sa seule exigence est de libérer l'État de la tutelle de la religion et de libérer la religion de l'instrumentalisation du politique. C'est ainsi que le religieux devient libre de s'organiser dans la société et de promouvoir ses croyances et ses échelles de valeurs. De son côté, l'État sera libre de pourvoir à la culture générale ou nationale des normes.

La laïcité devrait s'atteler à la mission de l'harmonisation sociale, à forger le consensus social autour des enjeux de l'État, à veiller à l'équilibre entre la liberté de conscience et l'égalité des citoyens et à jouer son rôle régulateur et pacificateur entre les cultes en légiférant sur l'égalité des religions tout en les écartant du jeu politique et les privant de leur dimension idéologique pro ou anti pouvoir. Ce qui doterait l'ordre social d'une immunité certaine contre la xénophobie et la littérature haineuse.

Cela étant, la marche du Québec vers la modernité, de même que la consolidation de son engagement sur la voie de la démocratie, est manifeste et solide, choix historique appuyé unanimement par la volonté politique des élites québécoises. Le Québec n'est pas dans une transition vers la modernité, il se trouve plutôt dans une phase de consolidation de ce parcours : il introduit des corrections ou des ajustements pour conserver la bonne entente et renforcer les loyautés à l'idéal de la liberté et au pacte social. Il serait alarmiste de saisir ces ajustements comme un compte à rebours pour la reconfessionnalisation de l'espace public. Mais du même souffle, il est impératif de mettre des limites à l'ouverture de la laïcité. Ces limites ne sont en aucun cas arbitraires : elles sont déterminées par les acquis de la modernité, par les piliers du système politique et de l'édifice social faisant un large consensus au Québec, comme la citoyenneté, valeur moderne par excellence.

L'appartenance citoyenne tolère et inclut plusieurs expressions et non pas un seul type de citoyenneté dans ses mémoires, ses nostalgies et ses racines. Elle ne présuppose nullement un délaissement des valeurs fondamentales, comme la sortie ou l'affaiblissement de l'État moderne. La citoyenneté reste valable et garante de ses autres valeurs au sein d'un État démocratique, ce qui est inéluctablement fondé sur trois idées fondamentales : la liberté individuelle, l'égalité entre des citoyens-individus et la responsabilité individuelle. En revanche, les idéologies ou les convictions qui appellent ou qui véhiculent des valeurs allant à l'encontre de cette vision libéralo-démocratique ou qui, directement ou par allusion, incitent au recours à la violence, physique ou verbale, contre d'autres citoyens par justification religieuse, sectaire, raciale ou économique, devraient être pénalisées et bannies. Il en va de même des appels qui portent atteinte à l'égalité entre les hommes et les femmes.

La démarche vers la modernité ne devrait pas être entravée : elle est vouée à inclure toutes les classes sociales et les groupes identitaires, elle est une initiation à la citoyenneté sollicitée incessamment, la pierre angulaire de la nouvelle éthique en application au Québec. En ce qui concerne les liens de la religion et de la politique, le Québec a fait son choix : la religion n'est pas le marqueur identitaire premier et exclusif, la loyauté s'applique à la nation civique du Québec et à sa charte des droits et des obligations. Le Québec a écarté le principe de l'instrumentalisation de la religion dans la légitimation politique. Ce choix culturel ne devrait jamais être remis en question. Ce serait un revers retentissant de la démarche de la modernité, particulièrement de ses deux acquis historiques et universels : l'alternance pacifique du pouvoir et la séparation de la religion et de l'État, tous deux autonomes dans leurs domaines et leurs compétences. Le cours ECR s'inscrit dans ce cadre et devrait inspirer les critères de son évaluation afin qu'il puisse constituer un apport substantiel pour la consolidation de la loyauté aux valeurs de la modernité et à ses applications citoyennes, libérales et démocratiques.

En ce qui concerne la différenciation citoyenne ou le sens de l'interculturalité, il faut dire que vu ses options idéologiques et historiques, le Québec sera mal servi par le multiculturalisme. Lors des troubles à Montréal-Nord en 2008, des cas européens comme ceux des banlieues de Paris ont été mis de l'avant sans alarmisme par des images qui présagent des États en faillite, là où les haines raciales, sectaires et religieuses s'étalent et font des incursions monstrueuses dans l'espace étatique et public.

La culture québécoise promeut la modernité avec des réflexions critiques pertinentes malgré les pressions et les demandes incessantes n'émanant ni nécessairement ni clairement de l'attachement à la démocratie libérale, mais répondant plutôt à des convictions idéologiques qui rejettent les principes de base de la libérale-démocratie, et qui font leurs des discours religieusement nationalistes réfractaires à l'idéal moderne et libéral.

# BIBLIOGRAPHIE

## Ouvrages

ALBRIGHT, Madeleine, *Dieu, L'Amérique et le Monde*, Paris, Salvator, 2008, 369 p.

AL JABRI, Mohammed Abed, *Introduction à la critique de la raison arabe*, Paris, La Découverte, 1994, 169 p.

AOUN, Sami, *Après le choc. Moyen-Orient : incertitudes, violences et espoirs*, Éditions de l'Université de Sherbrooke, 2009.

—, *Mots-clés de l'Islam*, Montréal, Médiaspaul, 2007.

—, *Aujourd'hui l'islam. Fractures, intégrisme et modernité*, Montréal, Médiaspaul, 2007, 190 p.

ASLAN, Reza, *How to Win a Cosmic War : God, Globalization, and the End of the War on Terror*, Toronto, Random House, 2009, 228 p.

BERLIN, Isaiah, *La liberté et ses traîtres*, Paris, Payot, 2007, 279 p.

—, *Four Essays on Liberty*, Oxford : Oxford University Press, 1969, 280 p.

BIBBY, Reginald, *La religion à la carte. Pauvreté et potentiel de la religion au Canada*, Montréal, Fides, 1988, 384 p.

BOUCHARD, Gérard, *Genèse des nations et cultures du Nouveau Monde. Essai d'histoire comparée*, 2ᵉ éd., Montréal, Boréal, 2001, 503 p.

—, *La nation québécoise au futur et au passé*, Montréal, VLB, 1999, 159 p.

CHAHROUR, Mohamad, *al islam wa al-iman : mandhumat al-Qiam* [« Islam et foi : le système de valeurs »], Damas, *al-Ahali li-al Tiba'a wa An-nashr wa At-tawzi'*, 1996, 403 p.

COLAS, Dominique, EMERI, Claude, ZYLBERBERG, Jacques (collectif sous la direction de), *Citoyenneté et nationalité. Perspectives en France et au Québec*, Paris, Presses Universitaires de France, 1991, 505 p.

COQ, Guy, *Laïcité et République. Le lien nécessaire*, 2ᵉ éd., Paris, Le Félin, 2003, 336 p.

DELUMEAU, Jean, *Le christianisme va-t-il mourir ?*, Paris, Hachette, 1977, 316 p.

ENGELHARDT, Hugo Tristram, Jr., *Bioethics and Secular Humanism. The Search for a Common Morality*, SCM Press, London/Trinity Press International, Philadelphia, 1991, 206 p.

ESPOSITO, John, WATSON, Michael Martin, *Religion and Global Order*, University of Wales Press, 2000, 239 p.

FERENCZI, Thomas (dir.), *Religion et politique. Une liaison dangereuse ?*, Paris, Complexe, 2003, 254 p.

FORTMANN, Michel, MARTIN, Pierre (dir.), *Le système politique américain*, 4ᵉ éd., Montréal, Presses de l'Université de Montréal, 2008, 448 p.

FUKUYAMA, Francis, *La Fin de l'histoire et le dernier homme*, Paris, Flammarion, 1992, 452 p.

GAUCHET, Marcel, *La démocratie contre elle-même*, Paris, Gallimard, 2002, 420 p.

—, *La religion dans la démocratie*, Paris Gallimard, 1998, 175 p.

—, *Le Désenchantement du monde. Une histoire politique de la religion*, Paris, Gallimard, 1985, 457 p.

GEADAH, Yolande, *Accommodements raisonnables. Droit à la différence et différence des droits*, Montréal, VLB éditeur, 2007, 94 p.

HABERMAS, Jürgen, *Entre naturalisme et religion : Les défis de la démocratie,* Paris, Gallimard, 2008, 378 p.

HANAFI, Hassan, *Les méthodes d'exégèse : essai sur la science des fondements de la compréhension*, Le Caire, Conseil supérieur des arts, des lettres et des sciences sociales, 1965, 567 p.

—, *La phénoménologie de l'exégèse : essai d'une herméneutique existentielle à partir du Nouveau Testament*, Le Caire, Anglo-Egyptian Bookshop, 1988, 558 p.

HERVIEU-LÉGER, Danièle, *Vers un nouveau christianisme ? Introduction à la sociologie du catholicisme occidental*, Paris, Cerf, 1986, 395 p.

—, *La religion pour mémoire*, Paris, Cerf, 1993, 273 p.

HOFFMANN, Stanley, *Une morale pour les monstres froids : pour une éthique des relations internationales*, Paris, Seuil, 1982, 254 p.

HUNTINGTON, Samuel, *Le choc des civilisations*, Paris, Odile Jacob, 1997, 402 p.

KÜNG, Hans, *Projet d'éthique planétaire : La paix mondiale par la paix entre les religions*, Paris, Seuil, 1991, 252 p.

LEFEBVRE, Solange (dir.), *La religion dans la sphère publique*, Montréal, Presses de l'Université de Montréal, 2005, 404 p.

LEROUX, Georges, *Éthique, culture religieuse, dialogue. Arguments pour un programme*, Québec, Fides, 2007, 117 p.

LESSING, Gotthold Ephraim, *Nathan le Sage*, Paris, Gallimard, 206, 220 p.

LEWIS, Bernard, *Faith and Power. Religion and Politics in the Middle East*, New York-Oxford, Oxford University Press, 2010.

LOCKE, John, *Lettre sur la tolérance*, Paris, Presses Universitaires de France, Quadrige, 1999, 208 p.

LUIZARD, Pierre-Jean, *Laïcités autoritaires en terres d'islam*, Paris, Fayard, 2008, 284 p.

MacIntyre, Alasdair, *A Short History of Ethics*, New York, Macmillan, 1966, 280 p.

Mager, Robert, Cantin, Serge (sous la direction de), *Modernité et religion au Québec. Où en sommes-nous ?*, Québec, Presses de l'Université Laval, 2010, 416 p.

Manent, Pierre, *Enquête sur la démocratie*, Paris, Gallimard, 2007, 472 p.

Martel, Marie-Ève, (collectif sous la direction de), *Québécois et Musulmans main dans la main pour la paix*, Montréal, Lanctôt Éditeur, 2006, 250 p.

Micklethwait, John, Wooldridge, Adrian, *God Is Back : How the Global Revival of Faith Is Changing the World*, Penguin Press HC, The, 2009, 416 p.

Mill, John Stuart, *De la liberté*, Paris, Gallimard, Folio-Essais, 1990, 242 p.

Morgenthau, Hans, Thompson, Kenneth, *Politics Among Nations*, 6ᵉ éd., New York, McGraw-Hill, 1984, 688 p.

Nassar, Nassif, *at-tafkir wa al hijra : mina at-turâth ila an-nahda at-thania* [La pensée et la migration : de la Tradition à la seconde renaissance], Beyrouth, Dar at-tai'a, 1997, 344 p.

—, *La pensée réaliste d'Ibn Khaldûn*, Paris, PUF, 1967, 278 p.

Ramadan, Tariq, *Les musulmans d'Occident et l'avenir de l'islam*, Paris, Sindbad, 2003, 383 p.

Rawls, John, *Justice et démocratie*, Paris, Seuil, 1993, 385 p.

—, *Théorie de la justice*, Paris, Points, 2009, 656 p.

Redissi, Hamadi, *L'Exception islamique*, Paris, Seuil, 2004, 236 p.

Renaut, Alain, *Qu'est-ce qu'un peuple libre ?*, Paris, Grasset, 2005, 267 p.

Richard, Louis-André (dir.), *La nation sans la religion. Le défi des ancrages au Québec*, Québec, Presses de l'Université Laval, 2009, 207 p.

Rousseau, Jean-Jacques, *Du contrat social*, Paris, Flammarion, 1992, 187 p.

Spinoza, *Traité théologico-politique*, Paris, Flammarion, 1965, 380 p.

Talbi, Mohamed, *Penseur libre en Islam*, Paris, Albin Michel, 2002, 421 p.

Taylor, Charles, *Grandeur et misère de la modernité*, Montréal, Bellarmin, 1992, 150 p.

—, *A Secular Age*, Belknap/Harvard University Press, 2007, 896 p.

Todorov, Tzvetan, *Le nouveau désordre mondial. Réflexions d'un Européen*, Paris, Robert Laffont, 2003, 111 p.

Tully, James, *Une étrange multiplicité : Le constitutionalisme à une époque de diversité*, Québec, Les Presses de l'Université Laval, 1999, 242 p.

Voltaire, *Dictionnaire philosophique*, Paris, Flammarion, 1964, 380 p.

## Documents officiels, articles de journaux et revues

Baril, Daniel, « Pourquoi il faut retirer le volet de culture religieuse », *Le Devoir* (Opinions), 13 mai 2008.

Basalamah, Salah, « Identités et cultures : entre association et distinction », *Bulletin du SODRUS*, vol. 3, n° 2, printemps 2008.

Beaugé, Florence, « Mohamed Talbi : libre penseur de l'Islam », *Le Monde*, 23 septembre 2006.

Best, Monique, « L'imaginaire et le religieux, la métaperception des musulmans au Québec », *Cahiers de recherches sociologiques*, n° 46, septembre 2008.

Bréchon, Pierre, « La religiosité des Européens : diversité et tendances communes », *Politique européenne*, vol. 1, n° 24, 2008.

Bock-Côté, Mathieu, « Éthique et culture religieuse. Un utopisme malfaisant », *Le Devoir* (Opinions), 24 avril 2008.

Dorotea, Luciano, « Le cardinal Ouellet poursuit sa croisade contre le Québec en Italie », *Le Soleil* (Opinions), 14 octobre 2008.

Geadah, Yolande, « Commission Bouchard-Taylor - Un rapport insensible à l'égalité des sexes », *Le Devoir*, 16 juin 2008.

Geoffroy, Martin, « La crise des accommodements raisonnables au Québec : de la jurisprudence à l'ingérence », *Études canadiennes*, vol. 65, décembre 2008.

Houle, François, « La communauté partagée. Patriotisme et sociétés pluralistes », *Politiques et Sociétés* (Enjeux contemporains du républicanisme), vol. 20, n° 1, 2001.

Labelle, Micheline, François Rocher et Guy Rocher, « Pluriethnicité, citoyenneté et intégration : de la souveraineté pour lever les obstacles et les ambiguïtés », *Cahiers de recherche sociologique*, n° 25, 1995.

*La Presse*, Cahier Plus, 7 novembre 2009.

*La Presse*, Cahier Plus, 31 octobre 2009.

*La Presse Canadienne*, « La présidente de *Ni putes ni soumises* plaide contre le port de la burka », 9 septembre 2009.

Larouche, Jean-Marc, « De la vérité dans la sphère publique. Vers une société postséculière », dans *Éthique publique*, vol. 8, n° 1, printemps 2000.

Lemieux, Raymond, « Penser la religion au Québec », dans *Globe*, Revue internationale d'études québécoises, vol. 10, n° 2, 2007; vol. 11, n° 1, 2008.

Marcotte, Gaston, « La culture religieuse avec l'histoire », *Le Devoir*, 22 octobre 2008.

Milot, Micheline, « Religion et intégrisme, ou les paradoxes du désenchantement du monde », dans *Cahiers de recherche sociologique*, n° 30, 1998.

Ministère des Communautés culturelles et de l'Immigration, Québec, *Autant de façons d'être Québécois, Plan d'action à l'intention des communautés culturelles*, 1981.

Nientiedt, Klaus, « Les relations Églises/État en Allemagne. Une séparation "boiteuse" », *Études*, tome 409, novembre 2008.

Municipalité d'Hérouxville, *Code de vie d'Hérouxville*, janvier 2007.

Poisson, Marie-Michelle, « Le nouveau programme Éthique et culture religieuse. Faussetés et incohérences », dans *Cité Laïque*, revue humaniste du Mouvement laïque québécois, n° 13, hiver 2008.

Pratte, André, « 116 années après Léon XIII », *La Presse*, 14 mai 2009.

—, « Assez, M. Dumont ! Assez, M. Dumont ! Assez de faussetés ! Assez de démagogie ! », Éditorial *La Presse*, 11 novembre 2008.

Proulx, Jean-Pierre, « 10e anniversaire du Rapport Proulx. Une réflexion qui a changé l'école », *Le Devoir* (Opinions), 30 mars 2009.

Robitaille, Antoine, « Cours d'éthique et de culture religieuse – Marois réclame une commission parlementaire », *Le Devoir*, 14 décembre 2007.

Rousseau, Louis, « Grandeur et déclin des Églises au Québec », *Cités*, vol. 3, n° 23, 2005.

Samartha, Stanley S., « Dialogue as a Continuing Christian Concern, in Christianity and other Religions », dans *Ecumenical Review*, vol. XXIII, n° 2, avril 1971, et aussi dans *Christianity and other Religions*, Edited by John Hick and Brian Hebblethwaite, Collins, London, 1980.

Shields, Alexandre, Cauchy, Clairandrée, « Seulement 16% des Québécois préfèrent un enseignement religieux à l'école », *Le Devoir*, 16 septembre 2008.

Talin, Kristoff, « Éthique et culture religieuse – Le Lyssenko de la souveraineté », *Le Devoir*, 14 décembre 2009.

Thériault, Joseph Yvon, « La citoyenneté : entre normativité et factualité », *Sociologie et sociétés*, vol. 3l, n° 2, automne 1999.

Watters, Denis, « En réponse au cardinal Ouellet », *Le Devoir* (Opinions), 17 octobre 2008.

Walzer, Michael (entretien avec), « Le multiculturalisme au cœur », propos recueillis le 3 juin 1998 par Riva Kastoryano, Laurent Bouvet et Christophe Jaffrelot, *Critique internationale*, n° 3, printemps 1999, p. 56.

**Internet**

Arkoun, Mohammed (Entretien avec), *Le Soir*, 4 février 2006, p. 4 ; http ://archives.lesoir.be.

Baubérot, Jean, « Laïcité ouverte ? », 15 janvier 2005 ; http :// jeanbauberotlaicite.blogspirit.com/archive/2005/01/15/ laicite_ouverte.html.

Cline, Austin, University of Minnesota, Study on American attitudes towards atheists and atheism ;

http ://atheism.about.com/od/atheistbigotryprejudice/a/
AtheitsHated.htm.

Étude de Quérin : http ://irq.qc.ca/storage/etudes/IRQ_
Etude_ECR.pdf.

FÉDÉRATION DES FEMMES DU QUÉBEC : « Signes religieux » ;
www.ffq.qc.ca.

FUKUYAMA, Francis (entretien avec), « Societies don't have
to be secular to be modern », *Christian Science Monitor*,
21 octobre 2009 ;

http ://www.csmonitor.com/Commentary/Opinion /2009/
1021/p09s07-coop.html.

RAMADAN, Tariq, « Quel humanisme pour l'islam ? », 27 juin
2006 ; http ://www.tariqramadan.com/spip.php ?article
728.

—, « Appel international à un moratoire sur les châtiments
corporels, la lapidation et la peine de mort dans le monde
musulman », 2005 ; http ://www.tariqramadan.com/spip.
php ?article258.

# TABLE DES MATIÈRES

Achevé d'imprimer
sur les presses de
Imprimerie H.L.N.
*Imprimé au Canada - Printed in Canada*